Drijfjacht

Eerder verschenen in de serie
In het spoor van de vos

De gedaanteverwisseling

ALI SPARKES

DRIJFJACHT

IN HET SPOOR VAN DE VOS - 2

the house of books

Oorspronkelijke titel: *Running the Risk*
Oorspronkelijke uitgever: Oxford University Press

This translation of *Running the Risk* originally published in English in 2007,
published by arrangement with Oxford University Press.
Deze uitgave van *Drijfjacht* is oorspronkelijk in het Engels uitgegeven
in 2007, in overeenstemming met Oxford University Press.

© Ali Sparkes, 2007
Copyright voor het Nederlandse taalgebied © 2008 The House of Books,
Vianen/Antwerpen

Vertaling: Ellis Post Uiterweer
Vormgeving omslag en omslagbeeld: Studio Jan de Boer bno, Amsterdam
Opmaak binnenwerk: ZetSpiegel, Best

ISBN 978 90 443 1960 6
NUR 284
D/2008/8899/14

www.thehouseofbooks.com

Voor mijn jongens

Veel dank aan Andy Hinton en Mike Riley van de Hawk Conservancy Trust te Weyhill, Hampshire, voor alles wat ze me wisten te vertellen over valken. En ook heel veel dank aan Highcliffe Beach, Steephill Cove, en The Lizard, gewoon omdat ze er zijn.

1

Het meisje in het grijs vluchtte door het bos met de veranderling op haar hielen.

Ze rende nu al meer dan een halfuur. Op haar bovenlip stonden druppeltjes zweet. Het wezen haalde haar in, dat voelde ze gewoon. Boven het vogelgezang uit hoorde ze haar hijgende ademhaling en het neerkomen van haar voeten in de dure sportschoenen. Ze wist dat de veranderling haar elk moment kon bespringen. En dan zou ze zijn verslagen. Plotseling sprong ze met een verslagen kreet op een boomstronk en draaide zich met een ruk om. Hijgend zette ze haar handen in haar zij. Het wezen sprong.

Zacht kwam het op de boomstronk naast haar neer, zonder geluid te maken met zijn klauwen. Het ging zitten met de staart netjes om zijn voorpoten en keek haar aan met een grijns. Dat was behoorlijk vreemd voor een jonge rode vos.

Lisa maakte een geërgerd geluidje. Vervolgens plofte ze neer op de boomstronk en plukte rondom haar enkel wat blaadjes uit haar schoen. 'Je was in het voordeel, Dax!' zei ze nurks.

De schaduw van de vos bewoog en ontvouwde zich, en ineens zat Dax naast haar naar zijn ouwe gympen te kijken.

'In het voordeel? Ik op deze ouwe gympen en jij op peperdure sportschoenen?' zei hij plagerig. 'Je moet je niet zo uitsloven. Deze keer moest ik bijna hijgen. Je rent echt steeds sneller.'

'Hm.' Lisa tuitte haar lippen en sloeg haar armen over elkaar.

Dax hoopte maar dat deze bui niet lang zou duren. Meestal werd ze vrolijk van hardlopen, ook wanneer hij haar versloeg, en dat deed hij bijna altijd als hij Dax de vos was. Dax de jongen zou geen enkele kans maken... Lisa was verschrikkelijk fit voor een meisje van twaalf.

'Wat is er?' vroeg hij, hoewel hij eigenlijk geen antwoord verwachtte.

'Niks,' mompelde ze. Ze stond op.

'Heb je weer berichten doorgekregen?' Dax keek op naar zijn vriendin. Het blonde meisje zag er goed uit. Gideon zei dat ze later een echt stuk zou worden. Eigenlijk zag ze eruit als zo'n meisje dat uitsluitend in mooie kleren was geïnteresseerd, maar Lisa had wel iets anders aan haar hoofd. Het afgelopen jaar had ze helaas meer meegemaakt dan anderen in hun hele leven.

'Niks,' zei ze weer. Het klonk als een waarschuwing dat hij zich er niet mee moest bemoeien.

'Kom op, laten we terugrennen naar de anderen,' stelde Dax voor. 'Ik zal niet van gedaante veranderen, dus deze keer is het eerlijk.'

Tersluiks wierp ze een blik op hem. 'Je wilt me alleen maar in een goede bui brengen,' zei ze, maar het klonk al een stuk minder nors. Lisa wilde niets liever dan winnen.

'Ja,' zei Dax. 'Maar ik krijg wel een voorsprong!' Hij sprong van de boomstronk af en rende weg tussen de bomen door.

Lisa gaf hem precies vijf seconden, toen kwam ze achter hem aan. Tien tellen later had ze hem al ingehaald.

Mooi zo. Hij hoopte dat nog een stukje hardlopen haar goed zou doen. Soms kreeg ze onheilspellende en angstaanjagende berichten uit het hiernamaals door, vaak ook nog met een visioen erbij. Maar je merkte het nooit aan Lisa. Ze was bepaald niet zweverig en zette nooit een spookachtige stem op of knipperde melodramatisch met haar ogen. Als Lisa in trance raakte, merkte je dat alleen maar aan een paar kleine dingetjes. Ze wreef dan bijvoorbeeld over haar linkerschouder terwijl ze strak naar iets keek. Ze zei dat ze een koud plekje op haar schouder kreeg, alsof iemand daar een klamme, kille hand had gelegd. 'En dan maar in mijn oor staan tetteren,' had ze zich ooit beklaagd.

Om heel eerlijk te zijn vond Lisa het niet prettig dat de geestenwereld via haar communiceerde met de wereld der levenden. Vooral niet omdat de geesten sinds afgelopen zomer in de rij leken te staan. En toch was haar gave zonder meer nuttig. Lisa kon je verloren spullen in een oogwenk vinden. Je hoefde het maar te vragen en ze keek al omhoog, mompelde iets en kon je dan precies vertellen waar je sok, sleutel of chocoladereep was. Soms kreeg ze er genoeg van en zei dan bits: 'Wees toch niet zo lui! Zoek zelf eens in plaats van het mij te vragen!' Ze wist het altijd als je niet eerst zelf had gezocht.

Het vervelendste van haar gave was het zoeken naar mensen die waren verdwenen. Meestal waren ze dood. Maar soms zag ze, en dat was nog erger, mensen die heel binnenkort dood zouden gaan.

Toen Dax haar eindelijk had ingehaald, was ze al bij Gideon en Mia op de open plek. Gideon lag nog in het gras, hij doezelde een beetje in de zon met zijn sproeterige arm over zijn ogen. In zijn warrige blonde haar zat een lieveheersbeestje. Mia zat rechtop met haar armen om haar knieën geslagen naar Lisa te kijken. Aan de uitdrukking op Mia's gezicht te zien, had het hardlopen weinig geholpen.

Lisa zat op haar knieën. Ze haalde het elastiekje uit haar haar en schudde geërgerd haar paardenstaart los. 'Getver! Ik heb daar zo de pest aan,' zei ze. Ze wreef over haar hoofd en toen over haar linkerschouder.

Mia raakte heel zacht Lisa's hoofd aan, en meteen verzachtte Lisa's gezicht en keek ze niet meer zo gespannen. Zelfs van een afstand van twee meter was Dax zich bewust van Mia's verkoelende en helende aanraking. 'Gaat het een beetje met haar?' vroeg hij terwijl hij bij de twee meisjes ging zitten.

'Het gaat prima met me,' mopperde Lisa, maar het klonk niet al te snibbig. 'Het is dat oeverloze gezwets, blabla, mompel mompel, kwek kwek...' Haar stem stierf weg, maar ze hadden het allemaal begrepen. Het ergste aan haar gave vond Lisa dat het zo vaag was, het gevoel dat er iets stond te gebeuren en niet precies weten wát.

'Is het iemand van ons?' vroeg Mia.

'Ja... Nee... Ik weet het niet!'

'Nou, hou maar op met knarsetanden, dat helpt toch niet,' zei Gideon loom. 'Hoe drukker je je erover maakt, hoe moeilijker je erachter komt wat het betekent.'

Lisa's ogen fonkelden, en Dax vermoedde dat Gideon daar nog behoorlijk last mee zou krijgen.

'Gideon, je zou best een beetje meelevender kunnen zijn,' zei Mia bestraffend. Ze keek hem met tot spleetjes geknepen viooltjesblauwe ogen aan.

Gideon ging zitten en grijnsde. 'Je weet best dat dat niet helpt,' zei hij. 'Ze is net een humeurige hond met niks om op te bijten. Ze moet het even kwijt... Hier, bijt hier maar in!' Hij gooide haar een appel toe die was overgebleven van de picknick.

Lisa ving hem op en gooide hem terug.

Gideon liet de appel heel dicht bij zijn gezicht komen en liet hem toen zweven. Maar hij maakte wel een geluidje alsof de appel tegen zijn neus was geknald, in plaats van daar braaf voor te blijven hangen.

'Nog een keer?' vroeg hij terwijl hij de appel uit de lucht pakte en deed alsof hij hem nog eens wilde gooien.

Lisa schudde haar hoofd. 'Nee... Het werkt alleen als ik je ook echt kan raken. Het is veel bevredigender als je het echt uitschreeuwt van pijn.' Ze stond op. 'Maar toch bedankt, hoor. Kom, laten we teruggaan. Mijn vader zal zich afvragen waar we blijven, en ik denk dat Marguerite iets lekkers voor het avondeten heeft gemaakt.'

Dax en Gideon wisselden een tevreden blik uit. Marguerite kon geweldig goed koken. Eigenlijk was alles in het huis van Lisa geweldig, van het met mozaïek ingelegde zwembad tot de prachtige tuinen die bijna drie hectare besloegen. En niet te vergeten dat ze in een gigantische logeerkamer sliepen met een eigen badkamer. Mia had een eigen slaapkamer, met een badkamer helemaal voor haar alleen. Marguerite was de huishoudster, en er was ook een butler. Aan alles kon je merken dat Lisa's vader erg rijk was. Lisa was het gewend, ze wist niet beter, maar Dax, Gideon en Mia stonden steeds weer versteld van alle weelde.

'Stel je voor dat je voor eeuwig bij Lisa zou mogen wonen,' zei Gideon terwijl ze over het kronkelende pad door het bos terugliepen naar het landhuis. 'Geen wonder dat ze niet naar Tregarren College wilde. Ze heeft een eigen paard en zo!'

'Haar vader is ook aardig,' zei Dax.

Maurice Hardman was een intelligente man die enorm veel geld had verdiend in de metaalsector. Hij vond het heerlijk om zijn dochter in de paasvakantie thuis te hebben en kon haar niets weigeren. Ook niet dat er een stel uiterst merkwaardige kinderen kwam logeren.

'Nou, mijn vader valt ook best mee,' mompelde Gideon.

'Maar ik krijg nooit eens een paard of een zwembad van hem. Dat is toch niet eerlijk?' Hij deed alsof hij mokte. Gideon had het thuis heel leuk gehad, in het kleine huis in Slough. Hij had zijn vader over hun avonturen verteld en zo zijn best gedaan de tv met pure geestkracht te laten zweven dat zijn vader het maar had opgegeven om naar de sportprogramma's te kijken. Telekinese is niet erg best voor de ontvangst... Dan luisterde hij liever naar de radio. Dax werd een beetje verdrietig van al die fijne dingen die zijn vrienden en vriendinnen met hun vaders deden. Geen van de leerlingen van Tregarren College had nog een moeder, en daarom waren ze extra gesteld op hun vaders. Maar Dax had zijn vader sinds de zomervakantie maar vier dagen gezien. Tijdens het eerste semester op Tregarren College in Cornwall had hij verwacht dat zijn vader wel op bezoek zou komen. Hij had brieven en ansichtkaarten gekregen, en daarin had Robert Jones elke keer geschreven dat hij gauw zou komen. Hij kon niet wachten om alles eens met eigen ogen te zien, en hij wilde dolgraag weten waarom het ministerie van Onderwijs zíjn zoon had uitgekozen als leerling van deze heel bijzondere school.

Natuurlijk wist hij niet dat de leerlingen van de school daar niet waren omdat ze zo bijster intelligent waren. De leerlingen waren allemaal Kinderen met Onbegrensde Mogelijkheden en werden de 'Kom Club' genoemd. Ieder kind beschikte over een buitengewone gave, zoals telekinese. Er waren helderzienden, helers en schoneschijners. Dax was de enige veranderling. In anderhalf jaar waren er honderdnegen kinderen met bijzondere gaven opgespoord en bij elkaar gezet.

Als Dax' vader wel op bezoek was gekomen, zou hij instructies hebben gekregen voordat hij het schoolterrein op mocht. Eigenlijk mochten de leerlingen niet pronken met hun gaven buiten de les Ontwikkeling, maar af en toe deden ze dat per ongeluk toch. Over het pad naar Tregarren, dat langs de kliffen liep, boven de blauwgroene zee, waren altijd wel leerlingen te zien die tennisballen lieten zweven, of die langzaam vervaagden, of die in hun hand vuurwerk ontstaken.

Maar net als nog een handjevol vaders en stiefmoeders wist Dax' vader niet dat zijn kind over een gave beschikte. Hij was altijd maar heel kort thuis, en die tijd besteedde hij vooral aan zijn tweede vrouw Gina en hun dochtertje Alice. Daarom was er geen tijd geweest er iets over te vertellen. Gideon had de uitdrukking op Dax' gezicht gezien en geraden wat er was. 'Heb je je vader maar weinig gezien?' vroeg hij.

Dax zuchtte diep. 'Als je de tijd niet meetelt dat Gina tegen hem aan stond te kwekken of Alice als een klit in een roze jurkje tegen hem aan zat geplakt, dan heb ik hem geloof ik een halfuur voor mezelf gehad.'

'Een halfuur is toch lang genoeg?' vroeg Gideon plagerig. Hij vond het ongelooflijk dat niemand bij Dax thuis afwist van zijn gave. 'Je moet het hem vertellen, Dax! Zoiets moet hij toch weten?'

'Ja... Nou ja, zoals ik al zei, ik kreeg steeds een minuutje tijd, en... Net als ik het hem wilde vertellen, kwam Alice met een walgelijke pop die ze hem wilde laten zien, of ging Gina zijn schouders masseren.' Dax trok een vies gezicht. Hij was totaal niet op zijn stiefmoeder gesteld. Ze had hem geslagen en opgesloten in de tuin omdat ze vond dat hij ondankbaar en brutaal was. Maar zodra Owen Hind op het toneel was verschenen en had gezegd dat Dax een bijzondere jongen was en een plek had gekregen op een heel goede school, zonder dat het Gina iets zou kosten, was haar houding ten opzichte van Dax plotsklaps veranderd.

Toen Dax in de kerstvakantie thuiskwam, wist hij niet wat erger was. De oude Gina, die openlijk vals en onaardig was als zijn vader in de buurt was, of de nieuwe Gina, die extra patat op zijn bord schepte en hem 'lieverd' noemde.

Natuurlijk kon ze die berekenende uitdrukking niet aldoor voor hem verborgen houden. Ze was bezig uit te zoeken hoe haar dochter en zij er beter van konden worden dat er een 'genie' in de familie was. Ze was ook bang. Bang dat Dax, die een paar centimeter was gegroeid en er goed uitzag door de frisse zeelucht en het goede eten op school, zijn vader ooit zou vertellen hoe ze hem vroeger had behandeld.

Natuurlijk besefte Gina niet dat Dax haar soms dankbaar was voor haar akelige karakter. Vaak vroeg hij zich af of hij ooit wel in een vos zou zijn veranderd als hij niet opgesloten had gezeten in dat snikhete schuurtje in de tuin. Toen was het immers allemaal begonnen. Eerst had het erop geleken dat hij alleen kon veranderen als hij heel bang of boos was. De volgende keer dat hij was veranderd, was namelijk toen twee pestkoppen zijn vriend Clive te grazen hadden genomen. Razend van woede had hij de twee rotjongens weggejaagd, onder de schrammen en gillend van angst. Nog diezelfde dag was Owen gekomen.

Gideon trok een vies gezicht bij de gedachte dat Gina de schouders van Robert Jones masseerde. 'Getver!' zei hij meelevend. 'Maar Dax, heeft je vader dan niks gevraagd? Is hij dan niet nieuwsgierig? Ik bedoel, je bent natuurlijk wel slim en zo, maar de eerste de beste kan zien dat je geen genie bent. Je bent niet raar genoeg. Nou ja, niet op een gewone manier.'

Dax vroeg zich af hoe je op een normale manier raar moest zijn, maar vroeg er maar niet naar. 'Nee, hij heeft nooit iets gevraagd. Weet je, als ik moest omschrijven hoe mijn vader zich tegen me gedraagt, zou ik zeggen: nerveus.'

'Nerveus? Je maakt een grapje!'

'Nee.' Voorzichtig stapte Dax over een door klimop overwoekerde boomstam en raakte achterop. Mia en Lisa liepen door, maar Gideon bleef staan.

Hoewel Dax het probeerde te verbergen, zag Gideon toch dat er een boze en gekwetste blik in zijn ogen stond. 'Waar moet hij nou nerveus voor zijn? Hij weet toch nog van niets?'

'Hij vraagt me nooit iets. Hij stelt nooit eens een vraag. Niet wanneer ik het over de Kom Club heb, niet wanneer ik het over het voetbalveld of het zwembad heb, niet wanneer ik het over Owens cursus Bosbewonen heb. Dan lacht hij een beetje en knikt. Vervolgens krijg ik een aai over mijn bol en verandert hij van onderwerp. Het is echt heel raar. Alsof hij iets weet, maar dat niet durft te bekennen.'

'Vertel het hem dan gewoon!' opperde Gideon. 'Kijk hem gewoon een keertje aan en zeg: "Pap, ik kan in een vos veranderen." Daar kijkt hij vast wel van op.'

Dax wierp zijn vriend een blik toe.

'Nou, laat het hem dan zién,' zei Gideon. 'Daar zal hij helemaal van opkijken!'

Dax slaakte een zucht. 'Misschien is het beter als hij het niet weet... Volgens mij zou hij het niet aankunnen. Toen hij thuis was, zag hij er nogal... breekbaar uit. Hij besteedde nauwelijks aandacht aan me. En toen hij eerder terug moest naar het boorplatform, net zoals dat trouwens in de kerstvakantie gebeurde, leek hij opgelucht dat hij weg kon.'

Een eindje verder bleef Lisa staan, en Mia keek haar bezorgd aan.

'Wat is er?' vroeg Gideon toen ze bij de meisjes waren gekomen.

Lisa wreef weer over haar schouder. Ze zag er erg gespannen uit. 'Ze houden vandaag maar niet op!' zei ze met opeengeklemde kaken. 'Ik moet nog maar een eindje hardlopen.' Lisa had gemerkt dat ze alleen aan de opdringerige geesten kon ontkomen door hard te rennen.

Ineens ging er een rilling door Dax heen. Wat of wie Lisa's aandacht probeerde te trekken, had het ook op hém voorzien. 'Gaan jullie maar terug,' zei hij tegen Mia en Gideon. 'Dan ga ik nog een stuk hardlopen met Lisa.'

De anderen knikten begrijpend en zetten koers naar het hek in de verte dat voor het huis van de Hardmans stond.

'Kom op,' zei Dax, en meteen veranderde hij in een vos. Vervolgens stoof hij weg, zodat Lisa iets had om achterna te zitten. Hij was van plan zich algauw te laten vangen.

Zijn plannetje werkte. Lisa slaakte een verontwaardigde kreet en kwam meteen achter hem aan. Na een paar minuten minderde hij vaart en wachtte totdat ze hem had ingehaald. Daarna liepen ze in een aangenaam tempo kameraadschappelijk verder.

Weet je waar het over gaat? vroeg hij via zijn gedachten.

Ze schudde haar hoofd. *Het is allemaal heel vaag,* dacht ze terug. *O jee... Pas op, Dax, een hond!*

Meteen kreeg Dax spijt dat hij niet beter naar zijn vosseninstinct had geluisterd. Al twee minuten lang had hij signalen ontvangen dat er een hond in de buurt was, maar hij had gedacht dat die heel ver weg zou zijn. En dat waren ze ook, maar toen de labrador en de eigenaars over de heuvel kwamen, zouden ze een meisje van twaalf jaar kunnen zien dat via telepathie met een vos praatte. Om nu weer in een jongen te veranderen, was onmogelijk. Dat zou opvallen. Dus kroop Dax in het kreupelhout, en rende Lisa verder de heuvel op en deed haar best eruit te zien alsof ze geen beest had gezien.

Tot straks, hoorde hij haar in zijn kop nog zeggen. Snel draafde Dax weg van het pad totdat hij de mensen en de hond niet meer kon horen of ruiken. Onder de gladde, groene bladeren van een rododendron bleef hij even zitten. Hij vroeg zich af of hij in Dax de jongen moest veranderen en verder rennen met Lisa, of dat hij beter naar het huis kon gaan als Dax de vos. Het zou lastig worden om Lisa bij te houden als jongen. Dax was best sportief, maar als jongen voelde hij zich altijd veel lomper en onhandiger dan als vos. Wanneer hij aan het hardlopen was, kreeg hij altijd de neiging om in een vos te veranderen. Soms voelde het ook natuurlijker om een vos te zijn en dat vond hij een beangstigende gedachte.

Terwijl hij dit alles overwoog, ging de vacht op zijn rug opeens overeind staan. Hij rook de geur van angst. Het was de geur van een andere vos, een doodsbange vos. De geur was zo sterk dat Dax een sprongetje maakte en daardoor raakten zijn oren de takken boven hem. Op dat moment schoot er iets roods door het bos. Het was een vrouwtjesvos. Terwijl ze langsrende, hoorde hij wat ze dacht. *Wegwezen!* Dax aarzelde geen moment. Hij stoof achter haar aan, instinctief wetend dat er iets heel verschrikkelijks achter hen aan zat.

Dax was snel, maar het wijfje was nog sneller. Hij zag alleen het witte puntje van haar staart, en toen was ze verdwenen. Achter zich voelde hij de grond trillen, het leek te zingen zoals de rails doen wanneer er een trein aankomt. Eerst snapte hij niet wat het kon zijn. Die hond? Nee, het moest iets krachtigers zijn. De meeste honden zijn stomme, slungelige beesten. Ze maken geen enkele kans als ze een vos willen vangen. Meestal willen ze gewoon spelen.

De mééste honden, hoorde hij een kille stem in zijn kop. Hij bleef maar rennen door de struiken en liet een hoop bewegende bladeren achter. Het kon ook een meute jachthonden zijn, dacht hij ineens, en meteen rook hij ze ook. Ze waren een paar honderd meter hiervandaan. Jachthonden, paarden, mensen. Drie angstaanjagende wezens samen. Een vossenjacht! Hij kreeg het er helemaal koud van. Hij hoorde het woeste blaffen al. Jachthonden willen geen snoepjes, geen speeltje, geen spelletje spelen. Jachthonden zijn uit op bloed. Zíjn bloed.

2

Door het geluid van een hoorn gingen de honden nog woester blaffen. Er bestond geen twijfel meer aan dat de honden de geur te pakken hadden. Even bleef Dax als verstijfd staan terwijl hij zich afvroeg welke kant hij op moest rennen. Achter de vrouwtjesvos aan of in een andere richting? Uiteindelijk volgde hij zijn vosseninstinct en ging achter het vrouwtje aan. Misschien wist zij een goede plek om zich te verbergen. Hij stoof door het lage struikgewas, met haar warme geur nog in zijn neus, ook al kon hij haar niet meer zien.

Dax rende een steile helling af die was begroeid met essen en vlierbomen. Zijn poten raakten de grond nauwelijks, zo snel ging hij. Hij wist dat honden het geurspoor kwijtraken als het door water gaat, en niet ver weg rook hij water van een beekje. Hij dook onder een braamstruik. De doorns rukten aan zijn oren en allerlei kleine beestjes scharrelden weg voor het roofdier dat langs kwam spurten.

Op zijn buik kroop hij onder de struik door. De doornige takken slingerden zich meters ver over de grond. Toen hij er eindelijk onderuit was, zag hij iets glinsteren. Water! Hij sprong erin, waardoor er golven ontstonden op het kiezelbed. Het maakte een klotsend geluid. Meteen was hij er zich van bewust dat de honden het hadden gehoord en nu zijn kant op kwamen. Hij rook dat ze opgewonden waren. Snel rende hij in westelijke richting verder, langs de beek, soms een klein eindje door het water, en af en toe moest hij zwemmen wanneer het ineens diep werd. Het zwemmen ging akelig langzaam. *Verander!* Hij hoorde een stem in zijn kop en besefte dat die van Owen was. Het was een goed advies, maar Dax durfde niet te blijven staan. Hij deed zijn best om rennend te veranderen, maar dat lukte niet. Hij moest om te veranderen stoppen en op adem komen. Maar daar was geen tijd voor. Hij hoorde de honden al door de braamstruik komen, en het gejoel van de jagers. Hij was nog nooit zo ontzettend bang geweest. Hij kreeg er pijn in zijn buik van en hij kon niet meer goed denken. Hij verloor de moed. Hij besefte dat hij zó bang was, dat hij bereid was te sterven. Deze zwakte zou zijn einde kunnen betekenen. Maar toen zag hij een hol in de wal van de oever. Het was ongetwijfeld een vossenhol. Een hol met een smalle ingang. Misschien konden de jachthonden er niet door... Het wijfje was er niet in gegaan, dat kon hij ruiken. Dax aarzelde niet. Hij rende het water uit en schoot het hol in. De donkere aarde leek hem koesterend te omvatten terwijl hij steeds dieper ging. Dunne worteltjes kriebelden over zijn snuit en oren, maar ze gaven hem ook houvast. De angst joeg hem verder, hapte naar zijn staart. Maar de aarde riep hem met haar geruststellende geur. De aarde koesterde hem en gaf hem een veiliger gevoel dan wanneer hij in bed lag.

Na een poosje kwam het gangetje uit in een holletje dat groot genoeg was om je in te kunnen draaien. Er lag verdord gras op de grond, en er lagen ook een paar botjes. Hier woonde een vos, daar kon geen twijfel over bestaan. Gelukkig was er niemand, want Dax had nu geen tijd voor een gevecht over territorium. Hij keek strak naar het gangetje, en gebruikte al zijn zintuigen om te ontdekken of er misschien nog een uitgang was. Die was er niet. Hier liep het dood. En als de honden hier konden komen, zou híj ook dood zijn.

Dax liet zijn staart zakken en liep achteruit, zijn blik gericht op het schemerige licht dat door het gangetje kwam. Hij gokte dat het gangetje een meter of zeven lang was. Hij hijgde stilletjes en was zich bewust van het snelle slaan van zijn hart. Hij hoorde de honden door de beek spetteren, en de paarden ook. Hij hoorde het metalige geluid van hoeven op kiezels, en voor de paarden uit tientallen hondenpoten. Hij hoorde mannen roepen. Dax verstarde. Ze naderden de ingang naar het hol. Als ze helemaal daar waren gekomen, betekende dat dat de honden zijn geur nog konden oppikken. Ze zouden zeker ruiken dat hij angstig het hol in was gestoven. Hij kon alleen nog maar hopen dat het hol te klein was voor de honden.

Nog nooit in zijn hele leven had Dax zoiets angstaanjagends gehoord als het blaffen van de jachthonden bij de ingang van het hol. Het onheilspellende geblaf werd steeds woester. Ze wisten dat hij hier zat. Ze wisten dat hij niet weg kon. Vreugdevol blaffend begonnen ze hem uit graven. Toen hoorde Dax een jager een triomfantelijke kreet slaken. 'We hebben hem!' Maar Dax zag geen hondensnuit. Misschien maakte hij nog een kans. Hoelang zouden ze blijven graven voordat ze het opgaven? Hoelang kon hij hier in doodsangst blijven zitten?

Plotseling klonk er een metalig geluid. Blijkbaar had de jager de honden teruggeroepen en was hij zelf aan het graven geslagen. Dax probeerde zich te herinneren of de gang zich had verbreed of dat die overal even smal bleef. Hij werd helemaal koud vanbinnen toen hij zich herinnerde dat hij met zijn snorharen had gevoeld dat de gang inderdaad breder was geworden, en niet eens ver voorbij de ingang. In het begin had hij zich door het gangetje moeten persen, waarna hij zich gemakkelijker had kunnen bewegen. De jager zou maar een paar minuten hoeven te graven en dan konden de honden naar binnen om hem eruit te sleuren voor een halve minuut durende voorstelling van een stervende vos.

Allemachtig, Dax, verander! Daar was de brullende stem in zijn kop weer. Dax wist niet of het zijn onderbewuste was dat tot hem sprak met Owens stem, of dat het echt Owen was die langs telepathische weg met hem communiceerde. Owen had nog nooit op die manier contact met hem opgenomen, maar het was een mogelijkheid, zeker als Paulina Sartre bij hem was.

Wat maakte het ook uit? Dax kón niet veranderen. Daarvoor was het hol te klein. Als hij probeerde te veranderen, zou hij vermorzeld worden. Het bloed gonsde in zijn oren, alsof het wist dat het niet lang meer door zijn aderen zou vloeien. Algauw zou het bloed uit zijn keel stromen. Nu al voelde Dax dat zijn levensgeesten hem verlieten. Hij kon zich niet bewegen. Zijn ziel leek op een mot die tegen het raam fladdert. Hij stond tegenover een grote overmacht, hij maakte geen enkele kans. Zo zou het niet moeten eindigen... Hij was voorbestemd om iets te dóén? Waarom ontsnappen aan de moordaanslag die de vroegere rector op hem had willen plegen, om vervolgens uit de aarde te worden getrokken en krijsend aan stukken te worden gescheurd?

Het graven hield op. Er klonk een bevel, en toen blaften en jankten de jachthonden opgetogen omdat ze het hol in mochten. Ze zouden een voor een door de gang komen, en de voorste zou het geluk smaken hem eruit te sleuren. Vervolgens zou Dax heel even het daglicht mogen aanschouwen, om dan na een paar bloedige momenten voor eeuwig de duisternis in te worden gestuurd. Zijn medemensen zouden juichend toekijken, en zodra Dax dood was, zouden ze zich bukken, hun vingers in zijn bloed dopen en het bloed smeren op de voorhoofden van hun kinderen.

Hij kon de eerste hond al kwijlend door het gangetje

horen komen. Hij rook de geur van vlees in zijn adem en het zoutige zweet in zijn nek. Dax sloot zijn ogen en stuurde nog een laatste boodschap. Misschien zou Lisa die nog ontvangen...

Ik zit in de nesten. Kom niet meer terug. Sorry.

Hij voelde iets op zijn kop. Dat waren zeker de honden die hem kwamen doodbijten. Maar er gebeurde niets. Dax deed zijn ogen open en zag dat er nog geen hond door het gangetje was gekomen. Die persten zich er nog kwijlend doorheen. Hè? Weer iets op z'n kop. Plotseling besefte Dax dat er een harde kluit aarde op zijn kop was gevallen. Toen hoorde hij ook weer dat metalige geluid, maar nu van recht boven hem. De jagers hadden zeker uitgerekend dat hij hier moest zitten en hadden besloten hem uit te graven, zodat ze er zeker van konden zijn dat ze hem te pakken kregen. Terwijl hij dat dacht, vielen er nog meer kluiten op zijn kop en nek. En meteen zag hij ook een straaltje licht, en kiezels die langs hem vielen.

Het gat werd groter. Nu zou ik kunnen veranderen, dacht Dax. Maar was dat wel zo? Hij sprong op naar het gat, in het besef dat dit zijn laatste kans was, en geen erg grote ook nog. De jager zou hem met de schep doodslaan voordat Dax zou hebben kunnen veranderen. Maar terwijl hij opsprong, voelde hij de warme adem van de hond tegen zijn achterpoot. Hij had geen keus meer.

Zodra hij uit het hol kwam, werd hij gegrepen. Iemand pakte hem bij zijn nekvel en sleurde hem uit het hol. Vervolgens werd hij tegen de borst van een man gedrukt. Dax spartelde en kronkelde, maar de man drukte op zijn keel, zodat hij nauwelijks lucht kreeg. Dax verzette zich uit alle macht, en toen lukte het hem zijn kop opzij te draaien en in de arm van de man te bijten. Elk moment konden meer dan tien honden hem verscheuren, en door die beet liet hij tenminste nog een aandenken na.

Maar terwijl hij zijn tanden in het vlees van de jager zette, kwamen er drie gedachten in hem op. Ten eerste waren er geen honden; die zaten nog onder de grond, of deden hun best daar te komen. Ten tweede waren er niet nog meer mensen. Die stonden nog in de beek terwijl ze wachtten op het bloederige einde van de jachtpartij. En ten derde herkende hij het bloed dat hij proefde. Owen slaakte geen kreet van pijn toen hij werd gebeten. Hij had het te druk met wegrennen. Owen was een forse man en de vos woog bijna niets. Hij klom de oever op en holde door het bos. Dax had hem nog nooit zo hard zien rennen. Na een paar minuten hardlopen, waarbij Dax zo heftig heen en weer werd geschud dat hij dacht dat zijn tanden eruit zouden vallen, zette Owen hem op een berg bladeren en bulderde: 'Dax, verander! En snel een beetje!'

Meteen voelde Dax zijn lichaam zwaar worden omdat hij weer een jongen werd. Hij zag dat Owen opgelucht keek. Toen Dax probeerde te gaan staan, zakte hij in elkaar op de bladeren. Hij probeerde nog iets te zeggen, maar dat lukte niet omdat hij verschrikkelijk klappertandde. Zijn keel voelde droog en hij trilde over zijn hele lichaam. Hij was bijna gestorven, en heel even wist hij niet meer hoe hij moest leven.

Owen knielde bij hem neer en keek of hij gewond was. Behalve een paar schrammen die Dax had opgelopen toen hij onder de braamstruik door was gekropen, waren er geen sporen van wat hij daarnet had meegemaakt.

Dax' ogen vielen dicht. Hij wilde alleen nog maar slapen.

'Nee, Dax, niet doen!' zei Owen. Hij trok Dax overeind. 'We moeten hier weg. De jacht is nog in volle gang.'

Owen had gelijk. Dax' oren gonsden nog van schrik en uitputting, maar hij kon toch horen dat de jagers eraan kwamen. Toen hij deze keer opstond, hielden zijn benen hem even, vervolgens zakte hij weer in elkaar.

Owen maakte een geërgerd geluid en hees hem toen op zijn schouder. Dax hing daar ongemakkelijk en sloeg toen zijn armen om Owens nek. Owen liep naar een stevige eikenboom en zette Dax ertegenaan. 'Probeer overeind te blijven,' zei hij. 'Gedraag je zo menselijk mogelijk. We kunnen niet harder rennen dan zij.' Hij pakte Dax bij zijn hoofd, dat slap neerhing. 'Dax! Concentreer je! Niet wegzakken! Het gevaar is nog niet geweken, je stinkt naar vos. Kom bij je positieven en klim die boom in.'

Nog duizelig keek Dax omhoog en zag dat hij makkelijk bij de onderste takken kon komen. Elk ander moment zou hij in een ommezien boven hebben gezeten, maar nu voelde het alsof zijn armen en benen van beton waren. Owen gaf hem een duw. Dax wilde klappertandend uitleggen wat er aan de hand was, maar toen klonken de jachthoorns weer. Dat bracht hem bij zinnen en intuïtief draaide hij zich om en klom in de boom.

'Hoger, hoger!' moedigde Owen hem gespannen aan.

Het was maar net op tijd. Toen Dax op de vierde tak zat, drie meter boven de grond, kwamen de paarden en honden als een bruin-witte rivier over het pad gestroomd en de open plek op. De honden stormden op Owen af, renden langs hem heen en sprongen op tegen de eik. Owen draaide zich om en keek kwaad naar de leider van de jagers, die op een kastanjebruine merrie kwam aangereden. Hij had een zweepje in zijn hand en droeg een rood jasje.

'Ik dacht dat de vossenjacht verboden was,' grauwde Owen. 'Haal je honden bij me weg.'

'We hebben een vergunning, vriend. Dit is een slipjacht, met een nagebootst vossenspoor. Toevallig kwamen onze honden een echte vos op het spoor,' riep de jager boven het geblaf van de honden uit. Nog meer jagers kwamen in handgalop de open plek op, gevolgd door een paar man te voet. 'Nou, ga nu maar even aan de kant, beste kerel. De vos moet in de boom zitten. Hij is gewond, het is beter om hem uit zijn lijden te verlossen.'

'Mijn neefje zit in de boom, verder niets,' zei Owen.

'Vossen kunnen niet in bomen klimmen.'

'Nou, een vos in nood maakt rare sprongen. Het zijn slimme rotbeesten,' zei de jager. Hij boog zich voorover in het zadel en keek Owen met een gespannen lachje aan. 'Of misschien heeft je neefje een zwak voor ongedierte en zit de vos verstopt onder zijn kleren.'

'Dax, zie je daar soms een vos?' riep Owen naar boven.

Dax boog zich naar voren en riep naar beneden: 'Nee, ik zit hier helemaal alleen.'

Verrast keek de jager op. 'Je verstopt hem daar! Jij kleine etterbak... Kom uit die boom!'

'Spreek niet op die toon tegen mijn neefje!' beet Owen hem toe.

De jager keek hem woedend aan, maar hij was zich bewust van de stalen wil en het gezag van zijn tegenstander. Zijn paard schraapte onrustig met een hoef over de grond.

'Haal de honden daar weg!' snauwde hij ineens. Een paar jagers te voet renden naar de boom toe en sleurden de honden weg. Vervolgens liet de jager zijn paard dichterbij komen en keerde bij de voet van de boom. 'Hé, jij daar, jongen!' riep hij. Zijn stem klonk vol walging. 'Laat die vos vallen. Het is ongedierte. Hij heeft al de helft van de kippen op de boerderij van Cooper verschalkt. Ons is gevraagd hem te doden.'

Dax boog zich naar de jager toe en strekte zijn armen uit. Met zijn benen hield hij zich vast aan de tak. 'Kijk maar,' zei hij. 'Ik heb geen vos.'

Dat was inderdaad wel duidelijk. De jager vloekte.

Achter de jager klonk een kreet en iedereen draaide zich opgewonden om. De honden renden weg zo snel als ze waren gekomen. De leider van de jacht keek Owen met opgetrokken bovenlip aan, keerde toen zijn paard en galoppeerde achter de meute aan. De jagers te voet bleven even staan en gingen vervolgens achter hem aan. Ondertussen liet Dax zich uit de boom zakken en bleef zitten tegen de stam. Een van de jagers bleef waar hij was. Hij keek naar zijn maten, draaide zich om en keek van Dax naar Owen. Dax kende dat gezicht met die zelfgenoegzame grijns. De laatste keer dat hij zijn oude vijand had gezien, was op school geweest, voor de paasvakantie.

Owen schudde zijn hoofd en de jongen kneep zijn lippen op elkaar, knikte kortaf en ging toen achter de jagers aan.

Ook al was er het afgelopen halfuur nog zoveel gebeurd, het vreemdste was toch wel dat Dax hier Spook Williams tegen het lijf was gelopen.

3

Owen droeg en sleepte Dax naar het huis. Dax zei steeds dat hij best kon lopen, maar wanneer hij dat probeerde, zakte hij door zijn knieën. Zijn laatste restje energie was verdwenen na de griezelige jacht. Zijn hart klopte wild en hij had het koud, waardoor zijn haar overeind ging staan en zijn kaak beefde. Eigenlijk wilde hij alleen maar slapen. Het was veel te veel moeite om helemaal naar het huis te gaan. Owen trok hem steeds weer overeind. Hij bleef maar tegen hem praten, en Dax knikte een beetje en zei dat er niets aan de hand was. Maar er was van alles met hem aan de hand. Praten was een te grote inspanning en hij hijgde voortdurend. Uiteindelijk moest hij verschrikkelijk overgeven in de struiken langs het landgoed van de Hardmans. Daarna brak het koude zweet hem uit, en hij krulde zich op aan de voet van een boom. Owen trok hem overeind. 'Kom op, Dax, we zijn er bijna,' zei hij. 'Nog even volhouden.' Toen Dax hem uitdrukkingsloos aankeek, trok Owen hem met een zucht overeind en droeg hem verder. Vastberaden liep hij met de versufte jongen in zijn armen over de oprijlaan naar het landhuis. Evans, de butler, kwam samen met Marguerite naar buiten om hem te helpen. Snel brachten ze Dax naar zijn kamer, waar Marguerite het bad liet vollopen en Evans hem hielp zijn smerige kleren uit te trekken. Na een poosje zat Dax bibberig in het warme water. Owen had Gideon opgedragen hem gezelschap te houden.

'Hij verkeert in shock,' had Dax Owen horen zeggen. 'Hij moet warm worden en vervolgens het suikerwater drinken dat Marguerite voor hem maakt. En dan moet hij slapen.'

Gideon kwam binnen met een bezorgde uitdrukking op zijn gezicht. Hij ging zitten op het kastje met het blad van kurk dat naast het ouderwetse bad stond en keek naar Dax. 'Gaat het een beetje, Dax?' vroeg hij met een flauwe glimlach.

Dax knikte afwezig. In het warme water kwam hij een beetje tot zichzelf, maar echt goed voelde hij zich nog lang niet.

'Wat is er gebeurd?' vroeg Gideon. Hij leunde op de ronde rand van het emaillen bad en beet op zijn lip.

Dax zei: 'Vossenjacht.' Het klonk hees en zacht.

Gideon klonk ontzet. 'Bedoel je... Hebben ze op jóú...'

Op dat moment kwam Marguerite binnen. 'Het is welletjes geweest,' zei ze, en ze stuurde Gideon weg. 'Je moest opletten dat hij niet verdronk, geen vragen op hem afvuren!' Marguerite was een daadkrachtige vrouw, en in een paar minuten had ze Dax uit bad gehaald, afgedroogd en in bed gekregen.

Hij lag tussen de gesteven witte lakens en dronk het lauwe suikerwater door een rietje, precies zoals hem werd opgedragen. Zodra de beker leeg was, zette hij hem op het nachtkastje, deed zijn ogen dicht en liet zich wegglijden in de grijzige mist van de slaap.

Hij sliep twaalf uur lang en werd de volgende dag vlak voor het ontbijt wakker. Hij ging rechtop in bed zitten en probeerde zich te herinneren wat er was gebeurd. Het was iets belangrijks geweest... Hij had overal pijn, alsof hij had gevochten.

'Hoe is het nu met je, Dax?' klonk een slaperige stem.

Dax keek naar Gideon, die languit onder het dekbed lag. Zijn blonde haar piekte alle kanten op. 'Owen zei dat je in shock verkeerde. Ben je dat nog steeds, of kunnen we gaan ontbijten?'

Dax moest lachen om de vraag van zijn vriend. 'Nee, ik verkeer niet meer in shock.' Hij fronste zijn wenkbrauwen toen de gebeurtenissen van de vorige dag weer langzaam terugkwamen in zijn herinnering. 'Is Owen hier nog? Waarom was hij er eigenlijk? Hij is wel de laatste die ik hier had verwacht.'

'Kweenie,' zei Gideon. 'Na het ontbijt wil hij ons spreken. Gelukkig maar dat hij er was, hè? Je stond op het punt te veranderen in een hondenmaaltje.'

Dax vertelde hem dat hij bij Lisa weg was gegaan toen hij een vrouwtjesvos had gezien, en toen alles over de jacht die was geëindigd in een vossenhol.

'Waarom heb je je niet veranderd in een jongen?' vroeg Gideon.

'Het ging allemaal zo snel,' legde Dax uit. Hij wreef over zijn hoofd. 'Het was gewoon vosseninstinct om het op een lopen te zetten. Weet je, het is moeilijker om te veranderen in Dax de jongen dan in Dax de vos. Dan moet ik me concentreren, en daar was geen tijd voor. En in het vossenhol was er geen ruimte. Ik zou mezelf levend hebben begraven.' Weer voer er een rilling door hem heen en hij balde zijn vuisten. Er kwamen steeds meer herinneringen naar boven, en die waren bepaald niet plezierig.

'En toen?' vroeg Gideon nieuwsgierig. Hij vond het allemaal erg spannend.

'Nou, toen dacht ik dat het met me gedaan was. Ik deed nog mijn best een afscheidsboodschap naar Lisa te sturen.' Dax zweeg even en slikte toen moeizaam. Hij herinnerde zich nog de wanhoop van dat moment. 'Maar ik hoorde niks terug.'

30

'Nee, ze kon jou geen bericht sturen,' zei Gideon. 'Ze had het veel te druk met berichten sturen naar Owen.'

Dat kwam als een verrassing. 'Hè? Wat was er dan aan de hand? Vertel op!'

Gideon ging rechtop zitten, blij dat hij ook iets spannends had te vertellen. 'Nou, Lisa rende over de oprijlaan toen Owen opeens verscheen. En toen kreeg ze het heen en weer. Je weet wel, ze deed weer eens raar.' Gideon maakte wuivende gebaren met zijn handen en rolde met zijn ogen. 'Dus toen vroeg Owen wat er was, en toen gilde ze ineens heel hard dat er iets met jou aan de hand was. Ze wilde terugrennen, het bos in.'

Even zweeg Gideon. 'En toen zei Owen dat ze moest blijven waar ze was en hem moest vertellen wat ze allemaal doorkreeg. Ze zei dat een stel hongerige jachthonden hapklare brokjes van je wilden maken en dat jij in een holletje onder de grond zat en daar niet weg kon. En toen zei Owen dat ze haar kop moest houden en dat was best moeilijk. Je weet hoe ze is... En toen moest ze gaan zitten en hem laten zien waar het was. Vervolgens rukte hij een schop uit de handen van de tuinman en rende het bos in.'

'Owen iets laten zíén?' onderbrak Dax het verhaal. Lisa kon hem via telepathische weg berichten sturen, maar hij wist niet dat er ook anderen waren die haar konden 'ontvangen'.

'Jawel!' zei Gideon. 'Owen kan haar ook krijgen. Dat wist ik niet. In elk geval, ze ging dus zitten en stuurde hem berichten. En Owen rende het bos in om jou uit te graven. Hij vond de plek, hoopte er maar het beste van en zette de schop in de grond. Op dat moment kreeg Lisa jouw afscheidsgroet. Ze werd helemaal hysterisch. We waren erbij en zagen haar op het gazon knielen met haar hoofd in haar handen, en ze huilde als een klein kind. Ondertussen was Owen jou dus aan het uitgraven. Goh, je had jezelf eens moeten zien toen je hier kwam! Jemig, wat zag je eruit...'

Dax grijnsde verlegen. 'Kom op,' zei hij terwijl hij uit bed stapte. 'Ik verga van de honger.'

In de serre stond het ontbijt al klaar. Marguerite schepte eieren met spek op voor Lisa's vader, Mia was bezig met een kom muesli met vers fruit, en Lisa speelde met een gekookt eitje.

'Ha, spek!' zei Gideon stralend. 'En twee eieren, geroosterd brood, witte boontjes in tomatensaus, champignons en gebakken tomaten, graag. En thee! En hetzelfde voor Dax.'

Marguerite lachte opgewekt naar hen en ging gauw terug naar de keuken.

'Waar is Owen?' vroeg Dax.

'O, die is al heel lang op,' antwoordde Lisa. 'Je weet hoe hij is. Na het ontbijt wil hij Gideon en jou spreken in de bibliotheek.' Lisa had zich geconcentreerd op haar eitje, maar nu keek ze op naar Dax. Ze had een ernstige uitdrukking op haar gezicht.

Het drong tot Dax door dat hij niet de enige was die nog last had van de gebeurtenissen van de vorige dag. Hij lachte meelevend naar haar en stuurde haar een boodschap. *Erg, hè? Hoe is het nu met jou?*

Ze knikte geruststellend en stuurde een berichtje terug. *En met jou?*

'Ik zou vandaag wel dríé ontbijten kunnen eten!' zei Dax bij wijze van antwoord.

Lisa lachte opgelucht naar hem.

Mia, die naast hem zat, legde even haar hand op zijn schouder en meteen ontspande hij. 'Je ziet er veel beter uit,' zei ze. 'Dat was schrikken! Maar gelukkig is het goed afgelopen.'

Dax knikte en schonk thee in. Het was fijn om geheeld te worden, maar het zou nog fijner zijn als ze erover ophield.

'Ik laat die jagers arresteren als ze nog een keer op mijn

land durven komen,' merkte Maurice van achter de krant op. 'Ze hebben geen toestemming om hier te jagen.' De manier waarmee hij omging met de gaven van de kinderen, was erg prettig. Hij had even verbaasd gekeken toen Gideon zijn koffertje door de gang liet zweven, en hij had zich een keer verslikt in zijn warme chocolademelk toen Dax onverwacht in een vos veranderde, maar verder was hij opvallend rustig gebleven.

'Hij kijkt nergens van op,' had Gideon een keer gezegd.

Natuurlijk had Mia een gave die minder opvallend was, en ze had Maurice al een keer van een van zijn migraineaanvallen afgeholpen. Daarvan was hij wél diep onder de indruk geweest. 'Ze heeft me gered van twee dagen in bed met de gordijnen dicht,' had hij dankbaar gemompeld. 'Het is echt een mirakel.'

Het was een uitstekend ontbijt, met knapperig gebakken spek en verse champignons. Dax knapte er flink van op. De angst van de vorige dag gleed van hem af en de akeligste herinneringen stopte hij weg. Het was gewoon weer zo'n avontuur geweest. Het leven ging door.

Lisa leek ook zoiets te hebben gedacht, want ze was niet meer zo in zichzelf gekeerd en zeurde haar vader de oren van het hoofd omdat ze haar pony graag op school in Cornwall wilde hebben.

'Dat kun je toch wel regelen, pap? De school zou het best goedvinden als jij het vroeg.' Ze prikte in het zachtgekookte eitje, het maakte een klef geluid.

'Lieverd, ik zeg het voor de laatste keer: Chrysler kan niet naar Tregarren College,' zei haar vader.

Dax vond dat Lisa's vader bewonderenswaardig kalm bleef onder al dat gezeur.

Lisa rechte haar rug en keek haar vader koppig aan.

Maar Maurice Hardman sloeg gewoon een pagina van de krant om en begon het financiële nieuws te lezen.

'Hij hoeft niet op school te zijn,' ging Lisa verder. 'In Polgammon is vast wel een stal waar hij kan staan. Dan zou ik elk weekend naar hem toe kunnen. Nou, om het weekend. Het is niet eerlijk dat ik hem nooit meer zie nadat mijn hoofd zo raar is gaan doen! Dat is toch zeker niet míjn schuld?' Lisa zette een pruillip op.

Haar vrienden wisten dat ze zich er maar beter niet mee konden bemoeien en aten stilletjes verder.

Lisa's vader slaakte een zucht. 'Lieverd, je hoofd doet niet raar. Je bent gezegend met een buitengewone gave, dat is alles.' Hij legde de krant neer en stak een hapje toast met boter in zijn mond. Daarna glimlachte hij naar Lisa, alsof hij wilde zeggen dat het nu maar eens afgelopen moest zijn.

Plotseling veranderde de uitdrukking op Lisa's gezicht en keek ze erg tevreden. 'Pap,' zei ze, 'oma vertelt me net dat je als kind ook al zo was. Altijd heel rustig en overtuigd van je gelijk.'

Maurice Hardman verslikte zich. Gideon klopte hem behulpzaam op zijn rug en Lisa grijnsde breed.

'Dat is gemeen!' riep Maurice uit zodra hij klaar was met hoesten. 'Zeg maar dat twee tegen één gemeen is en dat het niet gepast is voor een overledene! Ik krijg ook nooit rust...' Hij pakte de krant weer op en staarde vastberaden naar het financiële nieuws.

'Laat hem met rust, zeurpiet,' zei Gideon terwijl hij nog een kopje thee inschonk.

Gelukkig giechelde Lisa omdat ze waarschijnlijk een verhaal te horen kreeg over haar vader toen hij nog klein was en zei ze niets lelijks tegen Gideon.

'Kun je goed paardrijden, Lisa?' vroeg Gideon. 'Spring je over hekken en zo, zoals dat meisje in *Black Beauty*?'

'Soms,' zei Lisa, die weer was teruggekeerd in het land der levenden. 'Natuurlijk kon ik vroeger veel vaker gaan paardrijden,' voegde ze er pinnig aan toe, maar haar vader reageerde daar niet op. 'Met de meisjes uit de buurt.'

'Heb je ook weleens gejaagd?' vroeg Dax. Hij voelde Mia naast zich verstijven. Hij wist dat het een rotvraag was, maar hij wilde het per se weten.

Lisa keek hem aan en richtte toen haar blik op haar bord. Zo bleef ze zitten terwijl iedereen elkaar ongemakkelijk aankeek.

Dax probeerde haar gedachten te lezen, maar tevergeefs.

'Ik heb één keer gejaagd,' zei Lisa uiteindelijk. 'Er wordt hier in de buurt nu eenmaal veel gejaagd en veel van de andere meisjes deden dat ook. Maar dat was toen. Toen wist ik nog niets van de Kom Club, en ik kende jou al helemaal niet, Dax. Maar ook al zou ik willen jagen, ik zou toch niet mogen meedoen. Ik ben toch immers een dief?'

Toen Lisa twee jaar geleden had gemerkt dat ze over een gave beschikte, was dat begonnen met dingen vinden. Ze kon haar vriendinnen op school precies vertellen waar de spullen lagen die ze kwijt waren. Ze wist niet hoe ze dat wist, maar het klopte altijd. Op een gegeven moment vermoedden haar klasgenoten dat Lisa hun spullen pikte om ze daarna terug te 'vinden'. Een andere verklaring hadden ze er niet voor. Ze werden allemaal kwaad op Lisa. Alsof dat allemaal nog niet erg genoeg was, 'zag' Lisa ineens de dood van een van haar vriendinnen. En toen het precies gebeurde zoals ze het in dat visioen had gezien, werd ze wanhopig.

Er werd een heel goede psychiater bij geroepen, die moest uitzoeken wat Maurice Hardmans dochtertje scheelde. Want Lisa had nergens meer zin in, ze was altijd bang en in tranen. En toen kwamen de geesten, die haar hulp inriepen en van haar verlangden dat ze contact opnam met de levenden. De geesten lieten haar akelige beelden zien van hoe ze om het leven waren gekomen. Ze bleven maar zeuren, ze bleven maar onthullen en uitleggen. Ze vertelden Lisa waar hun testament of hun schatten zich bevonden, ze wilden zelfs mensen eropuit sturen om hun lijken te zoeken.

Hoewel Lisa hierover niets aan de psychiater vertelde, moest hij toch iets hebben gemerkt. Een week later was Paulina Sartre Lisa komen halen. Haar vriendinnen, haar chique school, haar prachtige huis, haar pony, dat alles had ze moeten achterlaten omdat haar hoofd raar was gaan doen.

'Ik ben blij dat de jacht verboden is,' zei Mia. Ze was vegetariër. 'Ook al willen sommigen zich niet aan dat verbod houden. In elk geval komt de boodschap over, dat dieren beschermd moeten worden tegen mensen.'

'In mijn hart ben ik het met je eens,' zei Gideon met een zucht. 'Maar in mijn maag totaal niet.' Hij stak nog een stuk spek in zijn mond en kauwde daar genietend op. Ondertussen wierp hij Mia een valse blik toe.

Zodra Dax en Gideon klaar waren met eten, gingen ze naar de bibliotheek, waar Owen al op hen wachtte. Hij zat op een glanzende leren bank in een oud biologieboek te bladeren. Hij glimlachte toen hij de jongens zag en bekeek Dax van top tot teen. 'Vandaag zie je er weer uit als een mens.'

Dax zei beschaamd: 'Dank u wel dat u me hebt uitgegraven. Het spijt me dat ik onderweg naar huis zo'n slapjanus was.'

Owen schudde zijn hoofd. 'Ik stond versteld dat je überhaupt nog kon lopen. Je verkeerde in shock. Dat zou bij mij ook het geval zijn geweest als mij was overkomen wat jou overkwam.'

'Heb ik het nou gedroomd, of was Spook Williams er ook bij?' vroeg Dax.

Gideon keek verbaasd. Het was wel duidelijk dat hij niet

had gehoord dat hun oude tegenstander er ook bij betrokken was.

'Hij was er inderdaad,' zei Owen. 'Maar denk er maar liever niet meer aan. Het is voorbij.'

'Hè?' sputterde Gideon. 'Is Spook Williams ook een jager?'

'Hij was te voet,' zei Dax.

'Hoorde hij bij de jagers?' vroeg Gideon weer.

Owen slaakte een zucht. 'Ja, hij was erbij. Wist je niet dat hij hier in de buurt woont? Maar goed, we moeten opschieten, dus vergeet gisteren en luister goed naar me. Ik kom je halen, Gideon. Je gaat terug naar Tregarren College.'

Verbijsterd keek Gideon Owen aan. 'Komt u míj halen? Ik dacht dat u voor Dax was gekomen... Waarom moet ik nu al terug?'

'Nou, het zou fijn zijn als Dax met je mee zou komen,' zei Owen. Hij klapte het boek dicht en zette het terug op de plank. 'Het spijt me dat ik jullie vakantie zo plotseling moet afbreken, maar je moet terug zijn op Tregarren voordat de school echt begint.'

'Waarom?' vroeg Gideon.

'Omdat je met iemand moet kennismaken.'

'Met wie dan?'

Even keek Owen Gideon strak aan. 'Dat zie je wel wanneer je er bent,' zei hij. 'Vooruit, jongens! Jullie komen er gauw genoeg achter. Pak jullie tassen maar, over een halfuur vertrekken we.'

4

Natuurlijk bleef Gideon Owen onderweg naar Tregarren College aan het hoofd zeuren. Samen met Dax zat hij onderuitgezakt op de achterbank van Owens jeep. Maar Owen reed gewoon door en weigerde iets te zeggen. Uiteindelijk gaf Gideon het op, maar hij bleef opgewonden en een beetje bezorgd. Dax vermoedde dat hij zich afvroeg wie die geheimzinnige bezoeker kon zijn. In elk geval was het niet Gideons vader of iemand die hij kende, dat was wel duidelijk.

Opeens begon Gideon Dax weer vragen te stellen over de situatie bij hem thuis. 'Je moet het gewoon een keer doen, waar ze allemaal bij zijn,' zei hij met een brede grijns. 'O, wat zou ik Gina's gezicht graag willen zien! En dat van Alice ook!'

Dax slaakte een zucht, maar hij moest er ook om lachen. Gina zou waarschijnlijk de tuinslang pakken en hem het huis uit spuiten.

'Heeft ze zich aan haar belofte gehouden dat er geen poppen in jouw kamer zouden zijn?' vroeg Gideon.

'Nee, natuurlijk niet. Het is trouwens mijn kamer niet meer, het is nu het Poppenverblijf.' Zodra Dax vorig jaar herfst naar Tregarren was gegaan, had Gina zijn oude, vochtige kamer leeggehaald, alles lila geschilderd en hem aan haar dochter gegeven. Wanneer Dax thuis was, haalde Alice de poppen van zijn bed (waar nu een roze sprei met franje op lag), maar verder bleven de poppen gewoon staan of zitten. Het was een enorme groep poppen met roze wangetjes met kuiltjes erin, met grote ogen en altijd met een lach op hun gezicht. Wat Dax ook deed, hij had zwijgende, vreemd lachende toeschouwers. Hij was blij geweest daar weg te kunnen toen Lisa hem uitnodigde bij haar te komen logeren. En hij zou het nog fijner vinden om weer in zijn eigen bed op Tregarren te kunnen slapen, want dat voelde nu als zijn thuis.

Zodra ze in Cornwall waren rook Dax weer die heerlijke geuren. Vlak voordat hij voor de eerste keer in een vos was veranderd, was zijn reukzin heel sterk geworden. Hij wist meestal precies wie een kamer was binnengekomen zonder dat hij hoefde kijken. Hij kon stemmingen ruiken, angst, woede, gewelddadige gevoelens, maar ook blijdschap en goede bedoelingen. Dat was heel handig op Tregarren College, waar zoveel merkwaardige en niet lekker in hun vel zittende leerlingen waren. De meeste leerlingen hadden nu wel vrede met hun gave, en met de veranderingen die de gave in hun leven had veroorzaakt. Ieder van de 109 kinderen had die buitengewone gave in de laatste twee jaar ontwikkeld, en allemaal waren ze elf of twaalf jaar oud toen de gave zich openbaarde. Slechts een handjevol leerlingen vond hun gave nog steeds raar en voelde zich niet op zijn of haar plek op Tregarren. Dax vond het wel handig om te weten hoe deze leerlingen zich voelden. Hij had al een paar keer iemand kunnen helpen. Toen Darren Tyler net zo opgewekt deed als de andere illusionisten van zijn klas, was Dax de enige die had geroken dat de jongen heel erg verdrietig was. Hij had met Darren gepraat en na een poosje had de jongen opgebiecht dat hij heimwee had. Toen had Owen geregeld dat Darrens oma een weekendje naar Polgammon kwam. Daar was Darren erg van opgevrolijkt en nu rook hij net zo gelukkig en blij als iedereen op school.

Een ander voordeel van zijn scherpe reukzin was dat Dax wist hoe ver ze nog van Tregarren waren. Met elke kilometer dat ze dichterbij kwamen, werd hij blijer. Voor de vakantie had hij een angstaanjagende worsteling meegemaakt boven een mijnschacht van wel driehonderd meter diep. Die worsteling was geëindigd met de dood van de toenmalige rector. Toch was Dax blij dat hij leerling van deze school was, ook al was de charmante rector Patrick Wood een moordenaar gebleken, die bereid was iedereen om zeep te helpen die hem in de weg stond. Dax was bijna om zeep geholpen. Toen alles op school weer rustig was en de begaafde Paulina Sartre tot rectrix was benoemd, leek niemand Patrick Wood meer te missen. Ze hadden hem alleen maar aardig gevonden omdat hij hen had gehypnotiseerd. Dax was gelukkig onder de granieten kliffen die de school beschermden tegen de buitenwereld. Op Tregarren kreeg Dax nieuwe hoop en zelfvertrouwen. En zijn vrienden Gideon, Lisa, Mia en Owen betekenden alles voor hem.

'O, kunnen we niet even stoppen bij de chocolaterie?' vroeg Gideon toen ze door het pittoreske dorpje Polgammon reden, waar de leerlingen in het weekend hun zakgeld mochten uitgeven.

Owen lachte en zette de auto onverwacht stil. Dax en Gideon stapten uit. Hun benen waren stijf geworden van het lange zitten. Vervolgens renden ze de snoepwinkel in. Het was er heel stil, nu de school nog niet was begonnen, en haast in trance keek Gideon naar de uitgestalde chocola.

Mevrouw Whitlock, de eigenaresse van de winkel, lachte toegeeflijk. 'Ik heb een extra voorraadje chocola met amandelen ingeslagen, speciaal voor jou, Gideon,' zei ze.

Gideon straalde.

Ze kochten een hele berg lekkers. Gideon stond erom bekend dat hij dol was op chocola. Omdat hij daar zoveel van at, zou hij eigenlijk veel dikker moeten zijn. Dax kocht een paar repen en een paar pepermuntballetjes, en met whisky gevulde bonbons in de vorm van een flesje voor Owen. Nu was zijn zakgeld op. Van de school zou hij meer zakgeld krijgen, maar Gina stuurde hem nooit iets.

Terug in de jeep werd Dax duizelig van opwinding. Toen ze weer een krappe bocht maakten, verdwenen de hoge, met mos begroeide stenen muren aan weerskanten van de weg ineens en reden ze over een kronkelige, brede oprij-laan naar een hoge, stenen schoorsteen. Hij zag eruit als de schoorsteen van een oude tinmijn, en dat was hij vroeger ook. Maar nu was hij het poorthuis van Tregarren College, en er scheen licht door de smalle raampjes aan weerskanten van de eikenhouten voordeur.

De poortwachter, die meneer Pengalleon heette, deed de deur open, en Barber, zijn enorme hond met de warrige bruine vacht, kwam naar buiten gestormd om hen te begroeten in de avondschemering. Owen aaide hem over zijn kop en Dax en Gideon begroetten hem nog hartelijker door op hun knieën bij hem te gaan zitten. Zoals altijd snoof Barber aan Dax en stuurde hem een hondengedachte. *Vos.* Vervolgens richtte hij zijn aandacht op Gideon, die natuurlijk naar chocola rook.

'Welkom terug, jongens,' zei meneer Pengalleon. Hij sprak met het accent van Cornwall en zijn stem klonk ruw van de zeelucht. Hij klonk als de kapitein van een schip, en zo zag hij er ook uit, met zijn grijswitte baard en dikke, donkere overjas. Owen had een keer verteld dat meneer Pengalleon een hoge piet in de marine was geweest en dat hij een paar jaar bij de reddingsbrigade in Helston had gewerkt.

Meneer Pengalleon ging hen voor naar binnen, de woonkamer in, die ook toegang gaf tot het schoolterrein. De kamer was rond, met bakstenen muren die wit waren geverfd. In die muren zaten nog drie deuren van stevig eikenhout. De vloer was ook van donker eiken en in de smeedijzeren haard brandde een vuurtje, want zelfs in april kon het aan de kust flink koud worden. Het enige meubilair bestond uit een bureau, een stoel, een bank en een leunstoel met een hoge rugleuning. De deur die achter hen was dichtgevallen, was voorzien van een elektronisch slot waarvan alleen meneer Pengalleon en een paar leraren de code kenden. Als een leerling een weekendje weg wilde, kreeg hij of zij een getekend briefje mee dat aan meneer Pengalleon moest worden getoond, anders mochten ze er niet uit. Als je vergat dat briefje te halen of het kwijtraakte, had je pech. Meneer Pengalleon liet zich nergens door vermurwen.

'Hier, dit is voor jullie, voordat jullie verdergaan,' zei hij, en hij gaf hun allemaal een beker van blauw porselein, vol dampende, schuimige chocolademelk.

De jongens waren er blij mee na die lange rit.

'Het keukenpersoneel is nog niet allemaal terug. En ik denk niet dat de kokkin nog iets voor jullie zal willen maken,' ging meneer Pengalleon verder. 'Ik heb de andere...' Opeens hield hij blozend zijn mond. 'Ik, eh... ik...'

'Maak je geen zorgen, Ted,' zei Owen. 'Het komt vanzelf wel goed.'

Verbaasd keken Dax en Gideon elkaar aan. Wat zou er aan de hand zijn? Dax merkte dat de poortwachter zich diep schaamde en dat Owen bezorgd was. Het had iets met Gideon te maken, en met de reden waarom ze eerder naar school terug moesten.

Eindelijk zette Owen zijn lege beker neer. 'Kom, jongens. We gaan.'

Ze pakten hun zware tassen op, vol met vrijetijdskleding, en liepen achter Owen aan door de deur tegenover die waardoor ze naar binnen waren gekomen.

Steeds weer had het iets overweldigends om door deze

deur te stappen. Dax voelde dat de haartjes op zijn armen en in zijn nek overeind gingen staan. Met een opgewonden gevoel keek hij naar de zee die zich diep beneden hen tegen de rotsen stortte. De deur kwam uit op een smal pad met een stenen muur, zodat je niet dood kon vallen op de puntige rotsblokken. Dax vond dit uitzicht altijd adembenemend. Een fijne nevel hing boven het lager gelegen schiereilandje dat uitstak uit de rotswand. Tregarren College was nog niet zo lang geleden gebouwd, op de plek waar eerst een tinmijn had gestaan. De school was van plaatselijke steen gemaakt en bestond uit een laag, sierlijk gebouw, met tussen de vleugels aan weerskanten een keurig gazon en een fontein in het midden. De ramen waren hoog en breed en de grauwe lucht werd erin weerspiegeld.

Terwijl ze over de treetjes en het kronkelende pad liepen die in het steen waren uitgehouwen, snoof Dax de heerlijke geuren diep op. De lucht was vochtig en de horizon was door de witte mistslierten niet te zien, maar hij hoorde de zee wel klotsen. Op een lagergelegen terrein bevond zich het sportveld, en tussen de wig van het sportveld en het hogergelegen schoolgebouw was een natuurlijk ontstaan zwembad. Hier was het water gevangen achter een kring van rotsblokken en bij mooi weer mocht daar worden gezwommen.

In het schemerige licht waren de witte lichtbollen goed te zien, die op ooghoogte langs het slingerende pad hingen en die de treden verlichtten. Het was een sprookjesachtig schouwspel.

'Wacht,' zei Owen. Voor een van de kleine huizen met gewelfde gevels bleef hij staan. Deze huisjes waren gedeeltelijk uitgehouwen in de rotswand en werden bewoond door leraren. De huisjes zagen eruit alsof ze deel uitmaakten van het steen, de aarde en het gras; ze hadden schoorstenen op de ronde daken van grijze leisteen, en in de ramen zat dik glas. Het leek iets uit een sprookje; de huisjes waren een soort grotten die diep doordrongen in het graniet, met voorin een zitkamer en dieper gelegen de keuken, slaapkamer en badkamer.

Owen deed de deur open en gooide zijn tassen naar binnen, op de stenen vloer. 'Ik breng jullie eerst naar jullie kamer en steek dan de haard aan,' mompelde hij.

Weer keken Dax en Gideon elkaar aan. Ze kenden de weg naar hun kamer en ze wisten ook hoe ze een vuur moesten aanleggen.

Ze liepen naar beneden over het steile pad langs de kliffen en bukten toen ze onder een rotsig uitsteeksel door moesten dat met vochtige varens was begroeid. Daarna kwamen ze over de stenen brug die een smal, vrolijk kabbelende beek overspande. De beek stroomde in een ondiepe bedding over een rotsplateau, om zich vervolgens van de rotswand te storten. Verderop lag het slaapgedeelte, weer een laag gebouw met een leistenen dak, gebouwd van dezelfde steen als het schoolgebouw zelf. Ze duwden de deur open en liepen naar binnen, over de bekende stenen vloer, langs de wanden van blank hout. Ze sleepten hun tassen door de gang naar de zitkamer. Daar was het donker, er brandde geen vuur in de haard. Het was vreemd om eerder terug te zijn dan alle anderen. Nadat ze een wenteltrap hadden beklommen, kwamen ze bij hun kamer. Die kamer deelden ze met Barry, een 'schoneschijner' die – meestal – zomaar kon verdwijnen. Maar Barry was natuurlijk nog niet hier. Elke kamer aan de lange gang beschikte over vier bedden, vier ladekasten en vier kleerkasten, maar Dax, Gideon en Barry waren met z'n drietjes. Hun bedden stonden onder het schuine plafond met de ramen, waardoor ze de steeds veranderende nachtelijke hemel konden zien.

Toen ze de kamer in liepen, bleven ze opeens staan. De

keurig opgemaakte bedden stonden daar zoals altijd, maar op het verste bed zat een jongen. Hij zat een boek te lezen, en toen ze binnenkwamen, zette hij zijn ronde brilletje af.

Dax voelde zijn beste vriend schrikken. De jongen naast hem en de jongen op het bed waren allebei Gideon.

5

Er klonk een klap en het drong tot Dax door dat Gideon
– zíjn Gideon – zijn tas op de grond had laten vallen. Snel
keek hij om naar Owen, maar die schudde alleen maar
zijn hoofd, alsof hij Dax duidelijk wilde maken niets te
zeggen.

De jongen op het bed staarde hen aan, fronste toen zijn
wenkbrauwen en zette zijn bril weer op. Vervolgens stond
hij op, legde zijn boek weg, keek naar Gideon en stopte
zijn handen in de zakken van zijn spijkerbroek. Daarna
knikte hij en mompelde: 'Ze hadden me al verteld dat je
op me leek.'

Langzaam liep Gideon naar de jongen toe. Af en toe
bleef hij even stilstaan, alsof de jongen een wild en misschien gevaarlijk dier was.

Dax kon Gideons gezicht niet zien, maar het was al
vreemd genoeg dat Gideon zich zo langzaam bewoog. Bij
de jongen gekomen liep Gideon om hem heen en zei toen
tot Dax' grote verbazing: 'Doodgeboren. Ze zeiden dat je
doodgeboren was.'

De jongen keek achterom en ging toen weer op het bed
zitten. 'Ja, dat zeiden ze,' reageerde hij. 'En jij geloofde dat?'

Gideon liet zich op het bed ploffen. Hij zag erg bleek en
zijn groene ogen fonkelden vochtig. 'Eigenlijk niet...'
fluisterde hij zacht.

Er viel een gespannen stilte. De tweeling keek elkaar

aan. Het was alsof ze in de spiegel keken. Hetzelfde piekerige haar, dezelfde ogen, dezelfde sproeten, dezelfde vierkante kin. Misschien was de andere jongen iets magerder, en de bril maakte natuurlijk ook verschil. Ook de manier waarop hij zat, met hangende schouders en veel minder zelfverzekerd, was een verschil.

Uiteindelijk verbrak Owen de stilte. 'Gideon, dit is Luke,' zei hij. 'Het spijt me als ik je heb laten schrikken. Misschien moeten jullie maar eens samen praten. Ondertussen maken Dax en ik vuur in de open haard beneden.' Omdat geen van de jongens iets zei of zijn blik afwendde van de ander, duwde Owen Dax de kamer uit. 'Gaat het?' vroeg hij terwijl ze door de gang liepen.

'Waar hebt u hem gevonden?' vroeg Dax. Hij was nog duizelig van de verrassing.

'Op het eiland Wight,' antwoordde Owen. 'Mevrouw Sartre heeft hem een paar dagen geleden gehaald.'

'Is hij ook een Kom?' vroeg Dax op de wenteltrap.

Owen zei niets, maar liep voor Dax uit naar de haard en knielde om het aanmaakhout en de kolen aan te steken. Toen er een blauwgelig vlammetje opsprong, ging hij op zijn hurken zitten en zei: 'Dat weten we nog niet. Luke zegt van niet.'

Dax krulde zich op in een stoel bij de haard. 'Maar ik dacht dat hier alleen mensen kwamen van wie jullie zeker weten dat hij of zij een gave heeft,' zei hij. 'Heb je hem geen Triple Eight gegeven of zoiets?'

Owen keek Dax streng aan. Hij was er niet trots op dat hij Dax, toen hij hem had leren kennen, had opgesloten in de laadbak van een rijdende vrachtwagen en een nare geur had gebruikt om hem in een vos te doen veranderen. Toen kon Dax zichzelf nog niet veranderen wanneer hij dat zelf wilde en dit was de enige manier geweest om vast te stellen of hij zich echt in een dier kon veranderen. Dax had het

Owen allang vergeven, maar vond het leuk hem er af en toe mee te plagen.

'Nee, Dax,' zei Owen terwijl hij nog wat hout op het vuur legde. 'Triple Eight gebruik ik alleen bij veranderlingen. En haal nu die grijns van je gezicht, of ik doe een beetje van dat spul in je thee!'

Dax lachte en meteen voelde hij zich beter.

'Luke zegt dat hij niet over een gave beschikt,' ging Owen verder. 'En voor zover ik weet, liegt hij niet. Maar hij is wel een bijzonder geval. Tot nog toe hebben we hier geen tweelingen gehad. Wel broers, zoals Jacob en Alex Teller, de mimieken, maar geen tweeling. Dit is een goede kans om hen te bestuderen.'

'Bij wie woonde hij?' vroeg Dax.

'Als baby is hij geadopteerd door een kinderloos echtpaar. De vader is een paar jaar geleden overleden en de moeder is niet erg gezond. Ze was bereid hem hierheen te laten komen toen ze hoorde dat hij een broer had. Dat wist ze niet. Dat wist niemand.'

'Gideon wist het.'

Owen ging in een stoel zitten nu het vuur goed brandde. 'Ja,' reageerde hij peinzend. 'Die reactie had ik niet verwacht. Gideon kon het onmogelijk weten, zelfs zijn vader wist het niet. Nu wel, uiteraard. We hebben contact met hem opgenomen en volgende week komt hij kennismaken met Luke. Het kwam als een schok voor hem, maar dit soort dingen gebeuren nu eenmaal. Er gaan gegevens verloren en baby's worden inderdaad weleens verwisseld.'

'Was hij er dan niet bij toen Gideon werd geboren?' vroeg Dax. 'Hij wist toch zeker wel dat hij twéé zoontjes had gekregen?'

'Nee. Dax, dit is vertrouwelijke informatie, heel privé. Toen Gideon werd geboren, waren zijn ouders niet meer bij elkaar. Het ligt allemaal nogal ingewikkeld en eigenlijk zijn het onze zaken niet. Als Gideon dat wil, moet hij het je maar vertellen.'

Een poosje zaten ze in stilte in het vuur te kijken. Dax vroeg zich af wat er nu op hun kamer gebeurde. Owen vroeg zich waarschijnlijk hetzelfde af, dacht Dax. Maar na de vijf uur durende rit was Owen moe en het duurde niet lang of hij zat regelmatig ademend met gesloten ogen tegen de rugleuning geleund. En even later viel ook Dax in slaap.

'Hé, niet zo snurken jullie! We hebben honger!'

Dax en Owen schrokken wakker. Dax keek met knipperende ogen op zijn horloge. Owen en hij hadden meer dan een uur geslapen.

Gideon tikte tegen Dax' wang, met Luke een eindje achter zich. 'Kom op, word eens wakker! We willen eten.'

Owen geeuwde en rekte zich uit. Hij was duidelijk opgelucht dat de tweeling niet zo geschokt was dat ze niets meer konden eten. Het groepje liep over het griezelig stille schoolterrein, onder de uitstekende rotspunt door en over het rotsige pad naar het hoofdgebouw. In de eetzaal stonden onder het hoge, gewelfde plafond ronde tafels en eikenhouten stoelen met leren zittingen. Een van de tafels was gedekt voor vier personen.

'Ik ben blij jullie eindelijk te zien,' zei mevrouw Polruth, de kokkin. Blijkbaar was ze in haar eentje hiernaartoe gekomen om voor hen een maaltijd te maken. 'Weten jullie wel hoe laat het is?' vroeg ze met een afkeurend lachje.

'Het spijt ons, mevrouw Polruth,' zei Owen. 'We zullen alles snel naar binnen schoffelen, zodat u weer gauw naar huis kunt.'

'Geen sprake van!' zei mevrouw Polruth, terwijl ze een blad met schalen op tafel zette. 'Wanneer ik een ovenschotel heb gemaakt, verwacht ik dat ervan wordt genoten en niet dat hij naar binnen wordt geschoffeld!'

Ze zette voor ieder een aardewerken ovenschaaltje neer, in elk schaaltje zaten stukjes rundvlees, groenten en dikke bruine jus, met erbovenop een laag in plakjes gesneden aardappel. Allemaal slaakten ze een zucht van genot en ze begonnen verzaligd te eten. Ondertussen zette mevrouw Polruth glazen limonade neer voor de jongens en een mok cider voor Owen.

Een poosje smikkelden ze in stilte. Toen keek Owen tussen twee happen door naar Luke en Gideon, die bijna in perfect ritme toetastten. Het was een vreemd gezicht in het schijnsel van de lamp boven tafel.

'Hoe gaat het met jullie?' vroeg hij.

Luke en Gideon wisselden een blik en keken toen grijnzend naar Owen en Dax. 'Prima,' antwoordde Gideon, en Luke knikte.

'Hij heeft me dat trucje met telekinese laten zien,' zei Luke, die er nog een beetje verbaasd uitzag. 'Toen wilde ik het pas geloven. U had me er wel over verteld, Owen, maar ik kon het niet geloven. Ik dacht dat het hier misschien erg new age was, je weet wel, met zingen en kaarsen en zo, en mensen die over hun visioenen vertellen. Zoals in zo'n winkel waar ze tarotkaarten verkopen. Ik had niet gedacht dat er ook echt iets te zien zou zijn...'

Met een glimlach knikte Owen. 'In het begin is het moeilijk te bevatten. Bij mij duurde het ook een tijdje. Maar je raakt eraan gewend. Eigenlijk is het geweldig. Soms een beetje griezelig, maar over het algemeen geweldig.'

Luke keek Dax aan. 'Is het waar?' vroeg hij. 'Kun je je echt in een vos veranderen?'

Dax knikte en slikte een hap vlees en aardappel door. 'Ik zal het je later laten zien,' zei hij. 'Nu kan het niet, want dat vindt mevrouw Polruth niet goed tijdens het eten.'

Luke lachte een beetje zenuwachtig en at toen weer verder. Een paar keer keek hij nog steels naar Dax, alsof hij hem niet helemaal geloofde.

'En?' zei Dax. 'Kun jij ook iets, Luke? Heb je het al geprobeerd?'

'Nee...' zei Luke hoofdschuddend. 'Ik kan niet eens met mijn oren bewegen. Ik ben de suffe helft van de tweeling.'

'Doe niet zo raar,' zei Gideon. Het klonk beschermend.

Dax was een beetje jaloers en dat voelde niet goed. Het was heel normaal dat Gideon zijn broer wilde beschermen. Luke was de tweelingbroer die hij nooit had gekend. Dax nam zich voor niet meer jaloers te zijn.

Toen de ovenschaaltjes leeg waren, zette mevrouw Polruth kommetjes met gebakken appel met kaneel neer, en heerlijke room.

Tegen de tijd dat ze klaar waren met eten, was het al na tienen. Dax sliep bijna tijdens het toetje.

Owen gaf hem een por. 'Wakker worden, Dax, het is bedtijd.'

Owen liep met hen mee over het verlichte pad naar de jongensvleugel hoewel hij ook naar huis had kunnen gaan. Hij liep naast Dax, met de tweeling een eindje voor hen uit. 'Gaat het, Dax?' vroeg hij.

Weer dacht Dax dat Owen bijna een empaath was. Het klopte dat hij moe was, en ook een beetje van slag. Het was heel vreemd om twee Gideons te zien en om niet te weten wat zijn eigen plaats nu was. Met een glimlach zei hij: 'Het gaat wel. Ik ben alleen heel erg moe.'

'Ja, ik ook.' Owen glimlachte terug. 'Het gaat vast goed, Dax, met Gideon en jou. Dat weet je zelf toch ook wel?'

'Ja...' antwoordde Dax aarzelend.

Toen de tweeling het gebouw binnenliep, hield Owen Dax staande bij de deur.

'Hij zal je nodig hebben,' zei hij. 'Gewoon zoals je bent, als Dax. Oké?'

Dax knikte, maar wist niet zeker wat Owen bedoelde.

'Zorg dat je goed slaapt,' zei Owen en hij gaf Dax een schouderklopje. 'De afgelopen twee dagen is er veel gebeurd. Jullie mogen uitslapen zo lang als jullie willen. Slaap lekker.' Hij draaide zich om en liep terug over het pad.

In hun kamer lagen Gideon en Luke al in bed. Dax zei niet veel en liet de broers aan het woord. Hun stemmen leken sterk op elkaar, maar Gideon praatte sneller en zelfverzekerder, terwijl Luke een beetje een zuidelijk accent had opgedaan op het eiland Wight. Dax ging in de betegelde badkamer zijn tanden poetsen. Toen hij terugkwam en onder zijn koele, naar lavendel ruikende dekbed kroop, was de tweeling nog aan het praten. Dax lag met zijn hoofd op het kussen naar de sterren te kijken, door het schuine raam boven hem. Hij slaakte een zucht. Ook al gebeurden hier merkwaardige dingen, toch was het fijn om weer hier te zijn en het klotsen van de zee te horen. 'Hou nou eens jullie kop,' zei hij uiteindelijk. 'Ik wil slapen.'

'Sorry,' zei Gideon, en met gedempte stem bleven de broers nog een poosje praten.

Dax kneep zijn ogen dicht en trok het dekbed hoog op, tot over zijn oren. Gelukkig viel de tweeling algauw in slaap en kon hij ontspannen en ook wegdoezelen.

Toen Dax de volgende ochtend wakker werd, was het stil in de kamer. Het was al tien uur geweest. Bleek zonlicht viel door het raam, dat op een kiertje stond, en er kwam ook een fris windje naar binnen gewaaid. Een papiertje dat onder de wekker op zijn nachtkastje lag, fladderde een beetje op. Het was een briefje van Gideon.

Je sliep zo lief dat we je maar hebben laten slapen. Ik laat Luke alles zien.
Kom je ook?

Dax stond op en kleedde zich snel aan. Hij was opgeknapt van een nachtje slapen. Hij vond het niet prettig dat de anderen zonder hem op pad waren gegaan, maar hij was niet meer zo jaloers als de vorige avond. Buiten snoof hij de lucht op en rook dat Gideon in de buurt van het zwembad was. Snel veranderde hij in Dax de vos en draafde lenig over het pad naar het sportveld. Daar zag hij hen, ze klommen over de rotsen in het zwembad. Gideon had een kleine krab gevangen en liet de arme stakker boven zijn handen zweven. De krab bewoog met zijn poten om zijwaarts weg te kunnen kruipen, maar zonder houvast kwam hij niet van zijn plek.

Luke keek op en zijn mond viel open toen hij Dax zag. Hij ging op een rotsblok zitten en staarde naar Dax.

Gideon keek om en de krab viel met een plofje terug in zijn handen. 'Hoi, Dax,' zei hij. 'Goed geslapen?'

Dax knikte, ging op een plat stuk steen zitten en sloeg zijn staart netjes om zijn voorpoten.

Luke bleef vol ongeloof naar hem kijken. 'Ben je... Is dat...' mompelde hij.

Toen Dax in een jongen veranderde, viel Luke ruggelings in het water. Samen met Gideon haalde Dax hem eruit. 'Ik... ik...' sputterde Luke. Zijn bril stond scheef en op zijn schouder lag een sliert zeewier.

'Sorry,' zei Dax. 'Ik had je moeten waarschuwen.'

'Hoe doe je dat?' vroeg Luke ademloos. 'Het is... Het is... Het ene moment ben je een vos en het volgende... een jongen! En ik zag nergens waar het in elkaar overliep!'

'Nee, het gaat heel anders dan in de film, hè?' reageerde Gideon. 'Ik hoopte dat het op zo'n film over weerwolven zou lijken, dat hij zou worden uitgerekt en gaan gillen, dat er haar en slagtanden uit hem zouden komen schieten en dat hij van pijn zou liggen te kronkelen.'

'Het spijt me dat ik zo'n teleurstelling ben,' zei Dax.

'Het wordt een beetje wazig, net als bij schoneschijn. En ineens heeft hij een schattig vachtje.'

Dax snoof beledigd.

'Sorry, Dax,' zei Gideon met een grijns. 'Je bent ook schattig als je geen vacht hebt, hoor.'

Dax spetterde zijn vriend nat met zeewater en even later waren ze allemaal doorweekt, met zand en zeewier op hun kleren. Ze moesten terug naar hun kamer om zich te wassen en andere kleren aan te trekken. Gideon liet Luke het schooluniform zien, dat keurig gewassen en gestreken in de grote kast hing. Die enorme kast was in vier stukken verdeeld en stond tegen een muur. Het uniform bestond uit een antracietgrijze broek, een witte polo met in turkoois de letters TG op het borstzakje geborduurd, en een turkooizen trui voor als het koud was.

'In het weekend mag je dragen wat je maar wilt, maar als je naar Polgammon gaat, moet je verplicht de trui of de polo aan,' legde Gideon uit. 'Elke week krijg je zakgeld van school, voor het geval je niks krijgt van thuis, zoals Dax bijvoorbeeld.' Hij knikte in Dax' richting. 'Ik heb Luke al verteld over je lieve stiefmoeder,' zei hij.

'Ik heb geld gekregen van mijn moeder,' zei Luke. Dat klonk heel raar. Maar natuurlijk bedoelde hij niet zijn 'echte' moeder. Toch hadden maar weinig leerlingen het ooit over hun 'moeder', ook niet als ze een stiefmoeder hadden of waren geadopteerd.

'Mooi, want zoveel zakgeld krijgen we hier nou ook weer niet,' zei Gideon.

Tijdens het ontbijt, waarvoor alweer één tafel was gedekt in de enorme, verlaten eetzaal, ging Gideon verder met de les over de Kom Club.

'Kom betekent: Kinderen met Onbegrensde Mogelijkheden,' zei hij verlekkerd tegen Luke. 'Dat betekent dat ze nog niet weten waartoe we allemaal in staat zijn!' voegde

54

hij er theatraal aan toe. 'Volgens mij zijn we daarom hiernaartoe gebracht. Omdat ze ons niet los durven te laten in de wereld, omdat ze niet weten wat we allemaal zouden kunnen uitspoken.'

'Maar in de vakantie mogen we wel naar huis,' merkte Dax droogjes op.

'Jawel...' Gideon haalde zijn schouders op. 'Maar misschien houden ze ons dan wel aldoor in de gaten. We hebben moeten beloven dat we geen trucjes doen als iemand het zou kunnen zien. En als we dat wél doen...' Zijn stem stierf weg en hij liet zijn vinger over zijn keel glijden, alsof hij zichzelf de strot afsneed.

Luke keek Dax aan en vroeg: 'Doet hij altijd zo mal?'

Dax grijnsde breed, blij er weer bij te horen. 'Helaas wel,' antwoordde hij.

'Wat doen jullie hier eigenlijk?' vroeg Luke. 'Zitten jullie voortdurend dingen te betoveren?'

Gideon snoof. 'Kom nou toch! We zijn geen sukkelige heksen of tovenaars, hoor! Dat zijn maar neppers, mensen die op ons willen lijken. Je hebt geen toverstokje nodig om een Kom te zijn. Je bent het...' hij liet zijn lepel zweven, twee keer om de tafel vliegen en pakte hem toen handig uit de lucht, '...of je bent het niet.'

Luke grijnsde. Hij was onder de indruk. En Gideon amuseerde zich kostelijk, dat was wel duidelijk.

Dax roerde in zijn pap en zei: 'Sommigen van de helers en helderzienden zingen wel eens om zich beter te kunnen concentreren. Maar ze dreunen niks op uit stoffige, oude boeken, hoor. Ze mogen zingen wat ze willen, of het nu een voetballied is of een kleuterrijmpje. Dat maakt niet uit. Als het maar werkt. Ze houden ook wel van geurkaarsen, maar zonder kunnen ze ook. Wacht maar totdat je Lisa leert kennen. Ze lijkt totaal niet op hoe je je een helderziende voorstelt.'

'Lisa is een verwend nest,' zei Gideon opgewekt. 'Maar we mogen haar graag. Mia is echter wel behoorlijk zweverig, maar daar kan ze niets aan doen.'

'Wat kan zij?' vroeg Luke terwijl hij een dikke laag boter op zijn geroosterde boterham smeerde.

'Mia is een heler,' antwoordde Gideon. 'En een heel goede ook. Echt geweldig! Ze heeft een gebroken enkel geheeld waar we bij stonden.'

'Denk je dat ik haar aardig zal vinden?' vroeg Luke.

Dax en Gideon barstten in lachen uit, en Gideon zei: 'Vast en zeker!'

De eerste leerlingen zouden tegen theetijd komen, en de rest kwam de volgende ochtend. De drie jongens liepen over het schoolterrein en Gideon vertelde Luke opgewonden verhalen over hun avonturen van voor de vakantie. Ineens viel Dax iets op. De leraren waren terug. Mevrouw Dann zwaaide toen ze langs een van de leslokalen kwamen, en de sinistere meneer Eades, gekleed in grijs pak, knikte kortaf vanuit zijn kantoortje naast dat van Paulina Sartre.

De rectrix kwam naar hen toe toen ze op de rand van de fontein zaten. Ze liep gracieus over het gazon. Paulina Sartre had kastanjebruin haar dat ze meestal in een lage knot droeg. Ze had een bril met goudkleurig montuur op, waardoor ze rustig de wereld in keek, en ze ging altijd gekleed in donkere en wijde gewaden.

'Dax, Gideon, Luke, ik ben blij jullie te zien,' zei ze. Door haar Franse accent klonk het nog charmanter.

De jongens lachten vriendelijk naar haar. Ze was een vrouw die respect inboezemde en zij had alle leerlingen opgespoord doordat ze de gave had van 'zien'. Soms wist ze al van een gave voordat die naar buiten was gekomen en dan stuurde ze Owen erop af. Het ergste was dat mevrouw Sartre ook kon zien wat er nog stond te gebeuren. Ze

56

maakte zich dan ook altijd zorgen om de leerlingen en dat wist ze niet goed te verbergen.

Ze liep op de jongens af en aaide ieder even over zijn bol. Het leek op een vriendelijk gebaar, zoals een tante zou doen, maar Gideon en Dax wisten wel beter. Waar ze je aanraakte, ging je haar recht overeind staan, alsof het statisch was.

'Mooi zo,' mompelde ze voor zich uit. Ze klopte even op de hoofden van Gideon en Luke. Op Dax' hoofd liet ze haar hand langer liggen en hij voelde iets tintelen. Ze knipperde met haar ogen en meteen wist hij dat ze hem 'las'. 'Dax Jones,' mompelde ze, 'je boft dat je nog leeft.'

Dax knikte en keek gauw weg. Daar wilde hij liever niet aan worden herinnerd.

'Nou, ik moet maar eens verder,' zei ze opgewekt. Ze liet Dax zo plotseling los dat Dax bijna een denkbeeldige draad kon horen knappen. Toen ze wegliep over het gazon, riep ze nog achterom: 'Luke en Gideon, ik ben blij dat jullie weer samen zijn. Voelen jullie dat je nu compleet bent?' Vervolgens verdween ze in het hoofdgebouw.

De jongens bleven zwijgend zitten. Dax keek naar Gideon en zag dat die zijn blik had gevestigd op Luke. Luke keek terug met een uitdrukking die Dax niet goed kon plaatsen.

'Kom op, jullie. Hou even op met je compleet te voelen,' zei Dax. Het kwam er nogal schril uit.

'Ja, oké,' zei Gideon, die zijn blik losrukte van zijn tweelingbroer. 'Laten we kijken hoe het met Barber is.'

Luke knipperde met zijn ogen en leek even tot zichzelf te moeten komen.

Terwijl ze naar het poorthuis liepen, had Dax het gevoel dat Gideon en Luke iets wisten waarvan verder niemand op de hoogte was. Ach, je bent gewoon jaloers, dacht hij. Maar daarmee was het gevoel nog niet verdwenen.

6

'Dax! Klopt het?' Lisa kwam aangerend over het sportveld, met haar nieuwe sportschoenen aan. Ze bleef staan voor het stevige hek waar Dax op zat.

'Klopt wat?' vroeg Dax. Hij wist waarover ze het had, maar hij had geen zin het te vertellen.

'Dat Gideon een tweelingbroer heeft natuurlijk!' Ademloos keek Lisa naar hem op.

'O, dat. Ja, dat klopt. Zijn broer heet Luke.'

'Waar is hij?' vroeg Lisa. 'Ik wil hem zien.'

Dax sprong van het hek en liep terug, met Lisa op zijn hielen. 'Ik geloof dat hij in de postkamer is,' zei hij. 'Gideon laat hem alles zien.' Hij probeerde niet verdrietig te klinken, maar erg enthousiast kon hij niet zijn. Gideon en Luke waren al vertrokken toen hij nog zat te eten. Snel had hij zijn chocoladepudding naar binnen gewerkt, zodat hij achter hen aan kon, maar toen bedacht hij ineens dat ze hem er misschien niet bij wilden hebben. Bij die gedachte was hij nog verdrietiger geworden dan hij al was, en vervolgens was hij maar in zijn eentje gaan rondlopen.

'Je bent jaloers, hè?' Lisa was niet altijd even tactvol.

'Natuurlijk niet.' Dax versnelde zijn pas.

'O nee? Ik zou wel jaloers zijn. Het vijfde wiel aan de wagen en zo.'

Dax reageerde niet. Soms kon hij zich flink ergeren aan Lisa, vooral als ze gelijk had.

'Iedereen heeft het erover,' ging ze verder. 'We hadden allemaal gedacht dat er geen Koms meer waren.'

'Nou, die zijn er ook niet,' zei Dax. 'Luke is geen Kom.'

'Hè? Beschikt hij niet over een gave? Kan hij niets bijzonders?'

'Nee.'

Lisa haalde haar schouders op. 'Wat raar. Een heel gewone jongen? Is hij een beetje aardig?'

'Gaat wel. Hij heeft een bril. En hij komt van het eiland Wight.'

Lisa vroeg niet verder, maar Dax merkte wel dat ze langs telepathische weg meer te weten probeerde te komen.

'Hou daarmee op!' snauwde hij en voordat ze iets kon zeggen, veranderde hij in Dax de vos. Meteen rende hij heel snel weg, kroop onder het hek en onder een paar struiken door. Vervolgens stoof hij over de rotsige paden en de treden op naar Owens huis. Daar sprong hij op de vensterbank voor een van de ramen. Door het oude, vervormende glas kon hij licht zien branden, maar Owen zag hij niet. Toen ging hij met zijn rug naar het raam zitten, krulde zijn staart netjes om zich heen en keek uit over zee. De zeebries speelde door zijn vacht en liet zijn witte snorharen bewegen. Hij krabde met zijn zwarte klauwtjes over het steen van de vensterbank. Hij kon zich nog herinneren toen hij voor de eerste keer in een vos was veranderd. Dat was toen hij per ongeluk opgesloten had gezeten in de tuinschuur, nadat Gina hem had buitengesloten. In de schuur was het zo warm geworden dat hij in paniek was geraakt en was flauwgevallen. Toen hij bijkwam, was hij een vos. Sindsdien was hij vaak veranderd.

De eerste keer dat hij naar buiten was gegaan en uit de vuilnisbak had gegeten en water gedronken uit een oude autoband, herinnerde hij zich nog goed. Een vos zijn betekende voor Dax vrijheid. Hij rilde bij de gedachte hoe zijn leven eruit zou zien als hij niet over deze gave zou beschikken. Dan zou hij nog bij Gina en Alice wonen en slapen in dat piepkleine, tochtige kamertje, en voortdurend verlangen naar de liefde en aandacht die hij had gekend tot zijn vierde jaar, toen zijn moeder was gestorven.

Door naar Tregarren College te gaan, was zijn leven volkomen veranderd. Zelf was hij van een mager, koud, verdrietig jongetje veranderd in een gezonde, slimme en gelukkige knul. En af en toe in een vos, natuurlijk. Bovenal had hij Gideon leren kennen. Gideon was zijn beste vriend geworden. Ook al had Gideon de eerste dag dat Dax op Tregarren was een voetbal in zijn gezicht laten vallen. Door deze vriendschap was Dax veel minder in zichzelf gekeerd en had hij weer geleerd te lachen; ook om zichzelf.

Maar nu was alles weer veranderd. Het was niet meer Dax-en-Gideon. Het was nu Dax-en-Gideon-en-Luke. Doe niet zo stom, dacht Dax, Luke is er nog maar net. Het is heel gewoon dat Gideon bij hem wil zijn. Dat zou jij toch ook willen als je er net achter was gekomen dat je een tweelingbroer hebt? Luke was best aardig, daar lag het niet aan. Dax moest er gewoon maar aan wennen. Luke zou het hier moeilijk genoeg krijgen omdat hij niet over een gave beschikte. Dax nam zich voor Gideon nooit te vertellen dat hij jaloers was.

'Kijk nou toch eens! Zit je nog steeds in een holletje, Dax?'

Dax schrok. Hij herkende die spottende stem. Hij had helemaal niet gemerkt dat Spook Williams de treden af kwam. Hij was zo in gedachten geweest dat hij de jongen niet had geroken. Dax keek hem vuil aan, maar veranderde niet in een jongen. Hij had helemaal geen zin in een gesprekje met zijn aartsvijand.

Spook slenterde op hem af. Hij was een lange jongen met rood haar en een bleke huid. Hij bewoog zich sloom, als een hagedis. Hij droeg een spijkerbroek en een T-shirt, met daaroverheen een belachelijke zwarte mantel met halvemaantjes erop geborduurd. Spook wilde later een wereldberoemde goochelaar worden en vond dat hij op zijn twaalfde al aan zijn imago moest werken. Om de waarheid te zeggen stond de mantel hem best goed, want die verhulde zijn gluiperige manier van lopen.

Iedereen wist dat Spook brieven had geschreven naar verschillende televisieomroepen met het voorstel een goochelprogramma uit te zenden met een uiterst getalenteerde jongen van twaalf als de grote ster. Tot nu toe waren er nog geen reacties gekomen. Of misschien hadden de leraren de brieven naar de omroepen niet verstuurd. Dax vermoedde dat Spook niet zo stom zou zijn om te laten merken dat hij geen gewone illusionist was, maar mensen écht dingen kon laten zien die er niet waren. Vorig jaar had hij de school getrakteerd op een spectaculair vuurwerk, allemaal bedacht door Spook en zijn mede-illusionisten. Wat Spook niet wist, was dat Dax als enige er niets van had gezien.

Blijkbaar hoorde het bij veranderlingen dat je immuun was voor schoneschijn. Hij merkte er bijna niets van, alleen een kleine beweging in de lucht, net zoals wanneer het heel warm is en de lucht lijkt te trillen. Daar was hij toen achter gekomen en dat was erg handig geweest. Alleen zijn beste vrienden waren ervan op de hoogte en tot nu toe hadden ze het goed geheimgehouden. Misschien vermoedde Spook wel iets, want vanaf het eerste moment had hij een hekel aan Dax gehad.

'Het spijt me dat ik laatst geen tijd had voor een babbeltje,' zei Spook spottend toen hij op de tree onder het raam stond.

Dax keek uit over de zee, alsof hij de jongen niet had opgemerkt, maar zijn nekhaar ging langzaam overeind staan.

'Volgens mij heb je een spannend avontuur beleefd, Dax. Was je soms bezig wurmen uit te graven?'

Dax merkte dat zijn staart onwillekeurig bewoog en hield hem gauw stil.

'Owen zag er ook uit alsof hij had gegraven. Jullie hadden samen vast vette lol,' ging Spook verder. Ineens gniffelde hij. 'Ik heb gehoord dat je gilde als een meid toen hij je uit je hol trok.'

Dax liet zijn tong over zijn scherpe tanden glijden en even dacht hij erover om Spook te bijten. Het zou fijn zijn om zijn scherpe tanden in Spooks keel te laten zakken en hem te horen krijsen.

Op dat moment vloog de deur open en daar stond Owen. Hij keek hen allebei kwaad aan. 'Spook, nog één woord daarover en je moet een maand lang elke dag nablijven bij meneer Eades.'

Spook schrok, maar hij keek Owen uitdagend aan. 'Ik heb tegen niemand iets gezegd! Natuurlijk niet! Ik zat Dax alleen maar een beetje te pesten.'

'Vind je het nodig om hem te pesten?' vroeg Owen met een boze blik. 'Weet je dan niet...'

Op dat moment sprong Dax van de vensterbank en veranderde in een jongen. Hij vond het niet prettig dat Owen met Spook over hem praatte.

'Kunnen we het niet gewoon vergeten?' vroeg hij.

Spook keek hem minachtend aan. 'Ja, hoor,' zei hij. 'Laten we het gewoon maar vergeten. Ik vind het best. Let maar niet op mij.' Hij beende weg over het pad en zijn belachelijke mantel fladderde in het briesje.

Dax keek op naar Owen. 'Wat bedoelde hij? Dat ik hem dankbaar moet zijn dat hij het niet overal rondvertelt?'

Owen keek hem ernstig aan. 'Snap je het dan nog niet?'

Dax fronste zijn voorhoofd. 'Wat moet ik snappen?'

'Nou, waarschijnlijk was je te erg in de war om het te

merken, maar waarom denk je dat de jagers ineens de andere kant op gingen? De honden roken de vossenlucht op je en de leider was ervan overtuigd dat je een vos onder je trui verstopte.'

Dax vond dat dit gesprek geen prettige kant op ging. 'Ga verder,' zei hij.

'Spook heeft schoneschijn gebruikt. Hij herkende mij en toen zag hij jou, en vervolgens heeft hij twee en twee bij elkaar opgeteld. Vervolgens heeft hij een vrouwtjesvos tevoorschijn getoverd, die in westelijke richting vluchtte. Alle jagers konden die vos zien en ze stuurden de honden achter haar aan.'

Dax voelde zich misselijk worden. 'Bedoelt u dat ik bij Spook in het krijt sta?'

'Nou, laten we niet overdrijven.' Owen lachte. 'Hij heeft niet je leven gered, maar hij heeft ons wel uit een vervelende situatie gered. In stijl.'

'Spook? In stijl? Kom op, zeg!' Toen Owen daar niet op reageerde, haalde Dax zijn schouders op. 'Nou ja, het was knap gedaan. Maar waarschijnlijk zou hij die moeite niet hebben gedaan als u er niet bij was geweest.'

Op dat moment verschenen er twee blonde jongens. 'Dax,' zei Gideon, 'waar was je nou? Kom mee! Ik wil met Luke naar het bos, van mevrouw Sartre heb ik een pasje gekregen.'

Blij rende Dax met de tweeling mee. Het was fijn om Spook en wat hij had gedaan even te kunnen vergeten.

Ze klommen de treden op naar het poorthuis, waar Barber blij tegen Gideon en Luke op sprong. Dax kreeg alleen een respectvol kopstootje. Barber wist heel goed dat deze jongen tevens een vos was en daardoor leek het ongepast om tegen hem op te springen en zijn gezicht te likken.

Meneer Pengalleon toetste de code in en even later konden ze van het terrein af. In de late namiddagzon trokken ze het bos in dat groeide op de kliffen boven Tregarren. Vanaf deze hoogte konden ze zittend op de knoestige wortels van de oeroude bomen uitkijken over school. Ze zagen steeds meer leerlingen arriveren, die als mieren over het terrein leken te krioelen.

'Wat zullen ze wel van me denken?' vroeg Luke terwijl hij steentjes naar beneden gooide, die Gideon terug liet zweven naar de hand van zijn broer.

'Je hoeft het toch niet te vertellen?' zei Gideon. 'Niemand hoeft te zeggen over welke gave hij of zij beschikt. Of niet beschikt. Natuurlijk komt het uiteindelijk altijd uit, maar als jij nu maar geheimzinnig en in jezelf gekeerd kijkt wanneer iemand ernaar vraagt, zullen ze denken dat je iets heel bijzonders achterhoudt.'

'Dat moet ik dan maar doen,' zei Luke, maar erg overtuigd klonk het niet.

'Weet je zeker dat je echt niks kunt?' vroeg Dax.

'Heel zeker,' antwoordde Luke. 'Ze hebben me een hele week onderzocht, voordat jullie er waren, om te kijken of ik echt niet over een gave beschik. Ik moest naar symbolen kijken en die dan naar meneer Hind proberen te sturen. Ik zat daar maar met ingehouden adem en dichte ogen, en ik liep helemaal rood aan, maar er gebeurde niks. Toen deden ze het andersom en stuurde mevrouw Sartre mij berichten. Ik tekende van alles, maar dat was puur gissen. Ik kan echt niks. Ik moest ook op een stoel zitten en naar een potloodje staren totdat mijn ogen uitpuilden. Ik moest dat potloodje laten zweven, maar het was weer noppes.'

Gideon floot zacht. 'Je moet toch íéts kunnen... Kun je geen contact leggen met geesten?'

'Hè?'

'Hoor je geen stemmen in je hoofd, stemmen van de overzijde?'

Luke keek Gideon weifelend aan. 'Ja, hoor,' zei hij.

'Allemachtig!' riep Gideon uit. 'Nou, dan staan je nog een paar verrassingen te wachten!'

'We hebben hier nogal wat mediums en helderzienden,' legde Dax uit. Hij keek naar een glanzende tor die over zijn schoen liep en kreeg meteen honger. 'Wanneer ze berichten doorkrijgen van de doden, moeten ze een roze briefje invullen. Meneer Eades of iemand anders tekent die af, en dan pas mogen ze zo'n bericht doorgeven. Gideon krijgt altijd berichtjes van zijn... van jullie tante Pam.'

'Hebben we een tante Pam?' vroeg Luke.

'We hádden een tante Pam,' antwoordde Gideon. 'Ze is al heel lang dood. Maar daar laat ze zich niet door weerhouden.' Hij viste een roze papiertje uit zijn broekzak. 'Ze is al bezig en de school is nog niet eens begonnen! Dit kreeg ik van Jessica Moorland.'

Luke en Dax keken naar het briefje. Bovenaan stond gedrukt: BERICHT VAN EEN GEEST. Daaronder had Jessica keurig haar naam geschreven, de datum en de tijd, en de naam van degene voor wie het bericht was bestemd: Gideon Reader. Daaronder stond dat het een bericht van tante Pam was. Het bericht zelf luidde: Vergeet je vis niet. Raak nummer drie niet aan. Laat je haar knippen.

'Volslagen krankjorum,' verzuchtte Gideon. 'Ik snap er geen hout van.'

Ze moesten allemaal lachen en meteen voelde Dax zich minder gespannen. Dat had tante Pam toch maar mooi bereikt.

Bij het avondeten was de eetzaal al goed vol. De leerlingen waren uit alle hoeken van het land gekomen en er heerste een opgewekte stemming omdat iedereen zijn of haar vrienden weer zag. Iedereen zat aan zijn of haar vertrouwde tafel, de gesprekken gingen over de paasvakantie. Hoewel het eigenlijk verboden was om je gave te gebruiken buiten de les Ontwikkeling, hield niet iedereen zich aan de regels en algauw zweefden er kommetjes soep rond, werd er gegild als een illusionist het eten op het bord op levende muizen of wriemelende inktvissen deed lijken, of werd er gekreund als iemand tegen een onzichtbare leerling op liep.

Barry, hun vriend die schoneschijner was, was bij Dax, Gideon, Luke en Lisa aan hun gebruikelijke tafel komen zitten. Hij zette zichzelf blij aan en uit, zodat ze hem dan weer wel en dan weer niet konden zien. 'Kijk hoe snel ik het al kan!' riep hij uit. 'Ik heb de hele paasvakantie geoefend!'

Toen Gideon een poosje naar zijn knippervriend had gekeken, kreeg hij er genoeg van en hield zijn chocolademilkshake schuin boven Barry's stoel.

Meteen werd Barry zichtbaar als een druipende vorm. 'Gideon! Gluiper!' riep hij verontwaardigd uit.

'Sorry,' zei Gideon lachend. 'Maar we vinden je zo mooi dat we je liever aldoor willen zien.'

'Ik kan het nu toch niet meer,' mopperde Barry. Hij werd weer volledig zichtbaar en veegde zijn vieze handen af aan Gideons haar.

Dax gaf Barry een servetje. Hij mocht Barry graag en om de een of andere reden was hij niet helemaal ongevoelig voor zijn schoneschijn. Maar met zijn vosseninstinct zag hij toch altijd de lucht trillen. Hij kon Barry ook ruiken en vooral horen, omdat hij een beetje door zijn neus floot wanneer hij ademhaalde. Het kwam maar zelden voor dat Dax zich door hem liet verrassen.

Vol verbazing keek Luke naar wat er allemaal om hem heen gebeurde. Ineens zag Dax dat zijn mond openviel en er een glazige blik in zijn ogen verscheen. Dax hoefde niet om te kijken, hij wist zo ook wel dat Mia eraan kwam. Luke legde zijn vork en mes naast zijn bord neer en staarde haar aan. Gideon keek er grijnzend naar.

Mia ging naast Dax zitten, tegenover Luke, en zette een

kommetje pasta en een glas appelsap op tafel. Vervolgens keek ze Luke aan en lachte naar hem.

Flauwtjes lachte Luke terug.

'Hallo. Jij bent zeker Luke,' zei Mia. Ze had een koele en vertroostende stem, als bronwater dat over kiezels kabbelt.

Luke knikte alleen maar.

'Leuk je te leren kennen,' ging Mia verder. 'Eerst konden we niet geloven dat Gideon een tweelingbroer had. Maar er bestaat geen twijfel meer over. Jullie zijn bijna precies hetzelfde, hè?'

Luke knikte, nog steeds met open mond en die glazige blik in zijn ogen.

Gideon stak zijn hand uit en drukte Lukes mond dicht. Dat had hij vroeger ook bij Dax gedaan. 'Het geeft niet, Luke. Het gaat wel over. Je kunt er nu eenmaal niets aan doen. Dat effect heeft Mia op iedereen.'

Mia bloosde en boog zich over haar eten. Het lukte Luke zijn blik af te wenden en zijn broer aan te kijken, die zei: 'Mia is de heler over wie ik je vertelde. Ze is echt geweldig. Als je wilt, geef ik je wel een trap tegen je schenen, dan kun je het zelf ondervinden.'

'Niet doen, Gideon,' zeiden Dax en Lisa tegelijkertijd. Ze wisten allebei uit ervaring dat Mia een heel goede heler was, maar in het begin had ze niet geweten hoe ze de pijn moest kwijtraken die ze had geabsorbeerd van de mensen die ze heelde. Wekenlang had ze rondgelopen met de pijn van anderen, niet in staat die uit zich te krijgen. Net op tijd had Owen Hind beseft wat er aan de hand was, anders was Mia wellicht gestorven. Nu leerde ze verschillende manieren om de pijn te laten afvloeien en daar werd ze steeds beter in. Toch beschermden haar vrienden haar, en ze lieten zich nooit helen als ze een wondje of hoofdpijn hadden. Dat deden ze alleen als ze heel zeker wisten dat Mia zelf ook meteen van de pijn af kon komen.

'Hoe is het met je, Dax?' vroeg Mia zacht.

'Prima,' antwoordde Dax en hij propte een enorme hap warm gehaktbrood en worteltjes in zijn mond.

'Echt waar?'

'Mm-mm.' Dax keek haar stralend aan, maar ze leek toch niet erg overtuigd te zijn.

'Lisa heeft me verteld wat er vrijdag in het bos is gebeurd.' Ze huiverde. 'Dax, je moet echt heel, heel voorzichtig zijn.'

Dax slikte de hap door en hoestte toen. 'Ik zou het erg prettig vinden als niemand het er meer over zou hebben,' zei hij. 'Er is niks met me aan de hand. Echt niet.' Weer keek hij Mia stralend aan. Toen ze teruglachte, voelde hij een golf van warmte en vriendschap en daarom schaamde hij zich een beetje dat hij tegen haar had gelogen. Want er was wél iets met hem aan de hand. Sinds hij zaterdagmorgen was wakker geworden uit zijn lange slaap, deed hij zijn best niet meer aan de gebeurtenissen in het bos te denken. Soms kwam er toch ineens weer iets boven en dan kreeg hij het koud vanbinnen en voelde hij zich misselijk. Zoiets wilde hij nooit meer meemaken. Na deze ervaring was hij tot het besluit gekomen dat hij zich nooit meer voor gevaar zou verschuilen in een donker hol. Dat besluit stond vast. Dus hoefde hij niet meer aan die angstige momenten te denken, maar dat lukte niet erg omdat iedereen er steeds weer over begon.

7

De hele verdere avond deed Dax zijn best om ontspannen en aardig tegen Luke te zijn. De vier vrienden waren nu met z'n vijven, en Mia en Lisa waren gefascineerd door de tweeling. Luke leek ook meer ontspannen toen ze met zijn allen lui op de oude leren banken hingen die bij de haard in de woonkamer stonden. Hij was uiteraard helemaal in de ban van Mia en moest voortdurend naar haar kijken, alsof hij er niet helemaal zeker van was of ze wel echt was. Ondertussen wilde Lisa alles van hem weten.

'Hoe gebeurde het?' vroeg ze, met haar ellebogen op haar in een witte merkspijkerbroek gestoken knieën. 'Joehoe!' Ze knipte met haar vingers en Luke rukte beschaamd zijn blik los van Mia.

'Maak je geen zorgen,' zei Lisa. 'Over een paar dagen ben je eraan gewend. Dan zul je beseffen dat ík juist heel bijzonder ben en dat Mia maar saai is.'

Mia lachte. Ze schaamde zich altijd dood voor het effect dat ze op jongens had en vond het prettig als haar vrienden er grapjes over maakten.

'Sorry,' zei Luke. 'Wat zei je?'

'Hoe komt het dat je hier bent? Wat gebeurde er? Wilde je wel hiernaartoe? Heb je je verzet? Ik wel, ik ging helemaal over de rooie,' zei Lisa met een zucht.

'Nee, ik heb me niet verzet. Ik wilde weten wat er was,' antwoordde Luke. 'Eerst ging alles gewoon z'n gangetje. Ik zat op school en daar ging het best goed. Ik had een paar vrienden, maar niemand zoals... zoals Gideon,' vertelde Luke.

Dax deed zijn best om niet jaloers te zijn. Hij wilde niet toegeven aan die nare gevoelens. 'Vertel verder,' zei hij.

'Nou, ik woonde dus bij mijn moeder...'

'Hoe is het om een moeder te hebben?' viel Lisa hem in de rede. 'Hier heeft bijna niemand een moeder.'

'Ja, dat heb ik gehoord. Raar, hoor. Nou, het is heel fijn om een moeder te hebben. Mijn moeder is geweldig. Ik bedoel, ik beschouw haar als mijn moeder omdat ik mijn eigen moeder nooit heb gekend. Op dit moment gaat het niet zo goed met haar en dat is rot; mijn vader is gestorven toen ik zes was en toen moest ze in haar eentje voor me zorgen, en ook nog werken en zo.'

'Mis je haar?' vroeg Lisa.

'Eh... Nou ja, wel een beetje. Maar ik mag haar bellen. Haar zuster woont nu bij haar en dat vindt ze fijn. Er wordt dus goed voor haar gezorgd, daar hoef ik me geen zorgen over te maken. Ze zei dat ik gebruik moest maken van het aanbod, toen Owen was gekomen.'

'Kwam Owen zomaar ineens langs?' vroeg Dax. Hij herinnerde zich nog goed toen Owen bij hem was gekomen. De eerste keer dat hij Owen had gezien, had hij met Gina in de zitkamer gezeten. Owen had toen een pak aan en had er in die kleren vreemd uitgezien, met zijn lange, krullende haar en zijn gebruinde huid. In het begin had Dax hem voor geen meter vertrouwd, maar toch was hij liever meegegaan met de man die was gestuurd door de regering, dan bij Gina en Alice te blijven. En Gina was ook blij geweest om van Dax af te zijn, dus had het voor iedereen goed uitgepakt.

'Op een dag kwam ik thuis van school en toen was hij er. Hij zat thee te drinken met mijn moeder,' vertelde Luke.

'Hij vertelde haar dat ze me hadden opgespoord en dat ik een tweelingbroer had die leerling was op een school voor begaafde kinderen. Ze dachten dat ik ook wel begaafd zou zijn.'

'En toen zei je moeder "Wauw!" en liet je met Owen meegaan,' zei Dax.

'Nou, nee,' zei Luke en hij keek Dax aan alsof die gek was geworden. 'Eerst controleerde ze of het allemaal wel waar was. Ze zou nooit zomaar iets ondertekenen en me laten gaan.'

Dax zweeg en Gideon keek hem meelevend aan.

'Nou, en toen kwam ik hier een week voordat jullie allemaal zouden terugkomen. Gideon en Dax kwamen ook wat eerder... En nu zijn jullie er ook en weten jullie er alles van,' besloot Luke zijn verhaal.

'En je beschikt helemaal niet over een gave?' vroeg Lisa zacht. Ze had zich naar hem toe gebogen, zodat de anderen het nauwelijks konden verstaan.

Luke slaakte een zucht. 'Geen enkele,' antwoordde hij geduldig.

Lisa ging weer rechtop zitten en keek hem geïnteresseerd aan. 'Wauw!' zei ze.

Dax was blij toen het bedtijd was. Barry, Gideon en Luke sprongen van bed naar bed en gooiden met de kussens. Nou ja, Gideon liet ze ook zweven, en Barry verdween af en toe en kwam dan weer tevoorschijn, iets waar Luke nog steeds erg van onder de indruk was. Dax dacht dat het natuurlijk fijn voor hen was om publiek te hebben dat zelf niet over een gave beschikte, een jongen die erg tegen hen opkeek. Hij trok het dekbed over zijn hoofd en merkte zelf nauwelijks dat hij in een vos veranderde, een behaaglijk opgekrulde vos onder de dekens, in het donker. Na nog een paar minuten gekkigheid van zijn kamergenoten gromde Dax. Meteen werd het stil.

'Oeps,' zei Gideon. 'Dax heeft een vachtje gekregen. Hij stoort zich aan ons lawaai. Sorry, jongens, de vos heeft zijn slaap nodig.'

Ze kropen in bed, praatten nog een poosje zachtjes en vielen eindelijk in slaap.

Dax sliep ook eventjes, maar niet echt goed. Steeds weer werd hij wakker en merkte dan dat hij weer in een jongen was veranderd. De eerste keer zag hij op de wekker met de lichtgevende wijzers dat het elf uur was, toen negen over twaalf en vervolgens kwart over twaalf. Om vijf over half-een ging hij rechtop zitten, veranderde in een vos en sprong van het bed. Het had geen zin om te proberen te slapen wanneer hij zo onrustig was. Hij kon beter even naar buiten gaan.

Dax volgde zijn eigen paadje de kliffen op, naar het bos boven het schoolterrein. Een mens kon dat paadje nooit gebruiken, maar als vos, lenig en met klauwen aan zijn poten, was Dax in een paar tellen boven. De halvemaan gaf voldoende licht en zijn vossenogen waren net zo goed ontwikkeld als zijn andere vosseninstincten. Zoals gewoonlijk wanneer hij zich tussen de beschermende bomen begaf en lichtpotig over de zachte grond liep, was hij zich bewust van de talloze andere wezens. Knaagdiertjes, vogels die zaten te broeden, zelfs insecten verstarden wanneer ze het roofdier hoorden naderen. Dicht in de buurt bevond zich een das die op zoek was naar kevers, maar die trok zich niets van de vossengeur aan. Een bruinige uil vloog laag over de vos heen, rustig en geconcentreerd. Hij was op zoek naar een woelmuis of iets dergelijks. Een andere uil, die dichtbij in een boom zat, moedigde hem regelmatig aan met een doordringend *oehoe*. De geur van het nachtelijke bos werkte ontspannend voor Dax, het was net zoiets als op een zwoele dag in een koel bad stappen. De fluwelige duisternis omhulde hem liefhebbend, als een van haar kinderen.

Dax bleef staan om een paar grote, naar noten smakende torren op te eten. Als hij vos was, had hij altijd honger. Eerst had hij erg zijn best gedaan geen weerzinwekkende dingen te eten, maar een van de eerste dingen die hij als vos had opgesmikkeld, was een dode spin in dat snikhete schuurtje. Daarna had hij geen dode spinnen meer gegeten, maar wel wurmen, kevers en een stuk of wat levende spinnen. Gewoon af en toe een lekker hapje voor onderweg. Tot nog toe had hij geen kleine zoogdieren of vogels gedood. Het was best moeilijk om niet toe te geven aan zijn jachtinstinct, maar de jongen in de vos had een zwakke plek voor harige of gevederde wezens, en Dax de jongen was de baas over Dax de vos, al wist hij zeker dat hij wel kleine prooien zou kunnen vangen. Zijn reflexen deden niet onder voor die van andere dieren, ook al was hij slechts een deeltijddier.

Met het keukenpersoneel had hij afgesproken dat ze altijd restjes vers vlees voor hem bewaarden op een afgesproken plek in de eetzaal. Wanneer hij dan erge honger kreeg, kon hij rechtsomkeert maken en naar de eetzaal rennen om een paar stukjes varkens- of kippenvlees te eten. Maar op dit moment was af en toe een hapje eiwit in de vorm van insecten of wormen wel voldoende.

Wanneer Dax de jongen niet lekker in zijn vel zat, verdween het nare gevoel zodra hij in een vos veranderde. In het door de maan beschenen bos voelde hij zich in elk geval veel prettiger, hoewel hij besefte dat er eigenlijk niets was veranderd. Hij vermoedde dat het met Luke te maken had. Hij moest maar aan hem wennen, er zat niets anders op. Luke leek best aardig. Als hij Luke vroeger had leren kennen, voordat hij hier op school had gezeten, zouden ze het vast goed met elkaar hebben kunnen vinden. Luke was rustig, hij las graag en had hetzelfde gevoel voor humor als Gideon. Hij leek overal voor open te staan en hij moest wel dapper zijn om zomaar weg te gaan bij zijn moeder en een heel nieuw leven te beginnen. Het zou moeilijk voor hem worden om de enige leerling te zijn die niet over een buitengewone gave beschikte. Toch was hij hier, vastbesloten zijn mannetje te staan. Ja, dacht Dax, ik mag Luke graag en ik heb respect voor hem. Het zou alleen moeilijk zijn om Gideon met hem te delen.

Toen Dax ineens een windvlaag voelde, merkte hij tot zijn schrik dat hij niet meer alleen was. Zijn beschermer uit de andere wereld was grauw en onstoffelijk, maar toch onmiskenbaar aanwezig. Zijn snuit was donkergrijs met witte vlekjes, en zijn ogen waren wit in het donker. Op zijn donkergrijze poten liep hij geruisloos over de dorre bladeren en boomwortels, zonder een afdruk achter te laten.

Je bent er! Je bent er! Ik kan je zien! Dax bleef staan en keek de wolf in zijn ogen. De wolf stopte ook, alsof hij Dax' spiegelbeeld was. Het dier keek hem rustig aan en stuurde geen gedachtebericht terug.

Dax vond het geweldig. De wolf was wel eerder naar hem toe gekomen, maar alleen in zijn dromen, wanneer hij niet echt sliep maar ook niet echt wakker was. *Ik ben blij je te zien, ik ben je enorm veel verschuldigd,* dacht Dax.

De wolf liet zijn kop even zakken, als om te zeggen: Graag gedaan.

Dax wachtte een poosje en vroeg toen: *Wil je me soms iets vertellen?*

Weer liet de wolf zijn kop zakken, maar hij bleef zwijgen.

Dax probeerde erachter te komen wat dat betekende. *Kun je niets zeggen als ik je zie?*

De wolf schudde zijn prachtige, ruige kop en zuchtte. De zucht was te zien als een paarlemoeren nevelwolkje.

Plotseling besefte Dax dat de wolf vast veel moeite moest doen om zich zichtbaar te maken en dat ook nog iets zeggen te veel voor hem was.

Na een paar tellen draaide de wolf zich om en liep weg tussen de bomen. Nog één keer keek hij om naar Dax om te zien of hij wel achter hem aan kwam. Dat deed Dax, en de wolf ging hem voor naar de rand van het bos; de bomen hier hadden minder takken en lieten meer maanlicht door. De wind streek zacht door de bladeren van een stokoude appelboom waaraan hier en daar nog wat bloesem zat. Daar bleef de wolf staan en keek om naar Dax. Toen tilde hij zijn poot op en streek met zijn klauw drie keer over de voet van de boomstam.

Onzeker knikte Dax. *Oké.*

Weer liet de wolf even zijn kop zakken en keek toen strak omhoog totdat Dax zijn blik volgde. Hij snapte er niets van. Hij zag geen enkele boodschap in de wirwar van takken, bladeren en stukken nachtelijke hemel. *Ik zie niks... Wat bedoel je toch?*

De wolf keek Dax weer aan, maar hij was erg vervaagd.

Het drong tot Dax door dat de wolf niet veel energie meer had. *Het spijt me,* dacht hij met iets van wanhoop. *Ik snap het nog steeds niet...* Ineens kreeg hij een idee. *Wil je het eens met Lisa proberen? Probeer Lisa!* Hij zag nog net dat de wolf knikte voordat hij verdween.

Teleurgesteld liet Dax zich op de grond zakken. Wat had hij moeten zien? Was het weer een waarschuwing? Toen hij nog maar pas op Tregarren College was, nee, zelfs daarvoor al, was de wolf hem komen waarschuwen. In zijn dromen. Zelfs toen hij nog in dat piepkleine, tochtige kamertje sliep, bij Gina en Alice in huis. Het speet hem dat de wolf niet wat duidelijker was geweest. De waarschuwingen had hij pas begrepen nadat rector Wood hem had geprobeerd te vermoorden. Het zou handiger zijn geweest als hij eerder had geweten wat hem bedreigde. Maar zijn vriend in de geestenwereld, of waar hij ook was, kon alleen maar korte berichten geven. Bovendien waren die vaag, omdat

Dax nog half sliep, of omdat ze waren geïnterpreteerd door een medium zoals Lisa en Jessica en daarom niet altijd helemaal correct.

De wolf was de eerste veranderling geweest die Owen en Patrick Wood hadden gevonden, maanden voordat ze Dax ontdekten. Deze eerste veranderling was een stoere straatjongen geweest die was opgegroeid in verschillende kindertehuizen. De jongen had meteen geweten dat Patrick Wood niet deugde, dat hij alleen uit was op macht. Bijna meteen had hij doorzien dat Patricks charme nep was, want net zoals Dax was hij immuun voor schoneschijn. De rector, die besefte dat deze jongen een bedreiging vormde, had voor een auto-ongeluk gezorgd en de dode jongen in wolvenvorm gewoon op de weg laten liggen. Een veranderling verandert in zijn oorspronkelijke vorm als hij weet dat hij sterft, maar een veranderling die plotsklaps om het leven komt, blijft zoals hij er op dat moment uitziet.

Zonder het te beseffen had Dax wraak genomen. Het lijk van Patrick Wood lag nu driehonderd meter onder de school. Hij was door een luik gevallen, een luik in zijn eigen werkkamer. De bedoeling was geweest dat Dax door dat luik zou vallen, maar Patrick had zich misrekend en was zelf door het luik gestort. Zijn stoffelijke resten konden onmogelijk naar boven worden gehaald. Zijn werkkamer was veranderd in een magazijn. Dax ging daar nooit naar binnen. Dat deden maar weinigen.

Dax ergerde zich niet alleen aan zijn onvermogen de wolf te begrijpen, hij had ook razende honger gekregen. Iets warmbloedigs en vol eiwitten en vet scharrelde weg in het struikgewas. Dax de vos hapte ernaar en meteen wees Dax de jongen hem terecht, voordat het te laat was. Vooruit, naar de eetzaal, dacht hij. Hij sprong op en rende door het bos, het paadje af. Hij kon aan niets anders meer denken dan aan zijn honger. Binnen een minuut sprong hij op de vuilnisbakken onder het raam van de eetzaal, dat altijd openbleef voor hem. Hij drentelde naar de plastic bak naast de la met bestek, duwde met zijn snuit het deksel eraf en werkte razendsnel twee koude worstjes naar binnen, gevolgd door drie heerlijk vette plakjes spek en een stuk ham. Hij had zich in een jongen kunnen veranderen, maar als vos proefde hij alles veel beter. Zodra het bakje leeg was, dronk hij dankbaar van het water dat het attente keukenpersoneel voor hem had neergezet.

Even later was hij terug op zijn kamer en draafde geluidloos naar zijn bed. Snel keek hij of er geen modder op zijn pootjes zat, want de mensen die de was deden, hadden schoon genoeg van al die modderige pootafdrukjes op zijn beddengoed. Daarna kroop hij onder het dekbed, krulde zich op, sloeg zijn staart behaaglijk om zich heen en viel in een warme, droomloze slaap.

8

De volgende dag begonnen de lessen weer. Die leken erg op de lessen die op een gewone school worden gegeven. Bij aardrijkskunde behandelde mevrouw Dann de geologische kenmerken van de Britse Eilanden en legde uit wat de invloed daarvan was op de industrie. Ze was een goede lerares en kon de aandacht van de klas uitstekend vasthouden. Daarom stoorde het haar toen ze merkte dat Dax Jones helemaal achteraan voor zich uit zat te staren.

'En, Dax,' zei ze ineens, 'welk geologisch verschijnsel staat bekend als de ruggengraat van Engeland?'

Dax schrok en keek de lerares schuldbewust aan. 'Eh...' zei hij.

Mevrouw Dann slaakte een diepe zucht en zette haar handen in haar zij. Gideon en Luke draaiden zich om en keken hem meelevend aan, Spook zat rechts van hem te gniffelen.

'Doe geen moeite, meneer Jones,' zei mevrouw Dann pinnig. 'Het Penninisch Gebergte wordt als de ruggengraat van Groot-Brittannië beschouwd omdat het door het midden van het land loopt. Maar dat hoor je nu natuurlijk voor het eerst, hoewel de anderen er al tien minuten van op de hoogte zijn.'

'Het spijt me,' mompelde Dax. 'Ik heb vannacht niet zo goed geslapen.'

'Nou, doe vannacht dan maar beter je best,' snauwde mevrouw Dann heel onlogisch. Vervolgens draaide ze zich om naar het bord. 'Nee, Gideon!' zei ze waarschuwend, hoewel ze niet kon zien dat Gideon zijn gummetje over zijn tafeltje liet draaien, klaar om er Dax mee op zijn neus te schieten.

Met een plofje viel het gummetje op Gideons tafel. Gideon keek aandachtig in zijn boek. Soms vroegen de leerlingen zich af of mevrouw Dann niet ook over een gave beschikte. Het was haast griezelig dat ze altijd wist wie er van plan was een streek uit te halen.

Voor zover ze wisten, beschikte geen van de leraren over bovennatuurlijke krachten, afgezien van rectrix Sartre. Maar Dax raakte er steeds meer van overtuigd dat Owen ook iets bijzonders kon. In elk geval was er niets mis met zijn intuïtie en hij kon telepathische berichten van Lisa ontvangen, mits ze zich extra goed concentreerde. Ze had Dax verteld dat dat de reden was waarom ze toen in het bos niet achter hem aan was gegaan toen er op hem werd gejaagd. Ze moest Dax' berichten ontvangen én Owen informatie doorspelen, en samen had dat haar erg veel moeite gekost. 'Als er vijftien brandweermannen met een rokje aan om me heen hadden gedanst, zou ik daar niets van hebben gemerkt,' had ze gezegd.

Dax huiverde en stopte de herinnering aan die dag diep weg. Vastberaden luisterde hij naar mevrouw Dann. De les ging verder. Ze zaten landkaartjes te tekenen en daar geologische kenmerken op in te vullen toen de les weer werd verstoord. Dax merkte het voordat het daadwerkelijk gebeurde, en Lisa ook. Dax pikte een geur op.

Plotseling werden Gideon en Luke, die niet ophielden met tekenen, heel opgewonden. De adrenaline pompte door hun lijf. Op hetzelfde moment ging Lisa, die twee plaatsen van Dax vandaan zat, ineens rechtop zitten. Dax keek naar haar en zag dat ze geconcentreerd haar wenkbrauwen fronste.

'Wil je een pasje om uit de les te mogen, juffrouw Hard-man? Of kan het wachten?' vroeg mevrouw Dann met een zucht. Ze wist dat mediums zo lastig konden worden gevallen door een geest dat het onmogelijk voor hen werd om op te letten.

Lisa schudde haar hoofd. 'Nee,' zei ze, 'het gaat wel.' Tersluiks keek ze Dax aan en verstuurde een berichtje: *Ze is er.*

Wie, stuurde Dax terug, maar Lisa schudde haar hoofd en ging verder met haar kaartje. Even later werd er op de deur geklopt. Op dat moment stonden Gideon en Luke op en lieten tegelijkertijd hun potlood op tafel vallen.

Mevrouw Dann ging achterover zitten en mopperde: 'Ik geef het op! Mag ik alsjeblieft terug naar Barton Park School?'

In de deuropening verscheen Owen, die vragend naar Gideon en Luke keek. 'Weten jullie het al?' vroeg hij.

De twee jongens knikten zo synchroon dat het een optische illusie leek.

'Het spijt me, mevrouw Dann, maar ik wil Gideon en Luke graag even meenemen,' zei Owen.

Mevrouw Dann gaf toestemming met een wegwuivend gebaar. 'Ga maar, ga maar,' zei ze vermoeid.

Owen grijnsde verontschuldigend en de tweeling liep gauw de gang op.

Dax voelde zich erg buitengesloten. Er was iets belangrijks met zijn beste vriend en die had niet eens omgekeken naar hem. *Wat is er aan de hand,* stuurde hij geërgerd naar Lisa, maar die schudde alleen maar haar hoofd en bleef tekenen. *Bedankt, hoor,* dacht Dax, maar ze pakte gewoon een andere kleur potlood en werkte stug verder. Ze kon soms erg irritant zijn.

Zodra de les was afgelopen, liep Dax naar Lisa toe. Toen ze eenmaal buiten op het gazon waren, vroeg hij op hoge toon: 'Wat is er aan de hand?'

'Weet ik het?' snauwde Lisa. Ze wrong haar haar door een elastiekje met glittertjes.

'Maar je hebt me toch bericht gestuurd? Je zei: Ze is er. Wat betekent dat?'

'Och, doe toch gewoon, Dax! Ik weet niet wat het betekent. Ik kreeg ineens een berichtje door en voordat ik het goed en wel doorhad, stuurde ik het door. Ik kan er toch ook niks aan doen dat jij zulke dingen oppikt?'

'Maar wie is er? Heeft het iets met Gideon te maken? En kijk nou niet aldoor naar je nagels, maar geef antwoord!'

Lisa bleef naar haar keurig geknipte nagels kijken. 'Ik ben geen inlichtingendienst voor jaloerse jongens,' zei ze ijzig.

Dax knarsetandde.

'Als ik zeg dat ik iets niet weet, dan weet ik iets niet,' ging ze verder. 'Dat zou jíj moeten begrijpen! Je weet toch dat ik voortdurend berichtjes krijg en dat de helft daarvan uit onzin bestaat? Misschien heeft het met Gideon te maken, of misschien met Barber de hond. En nu moet ik ergens naartoe.' Kwaad beende ze weg. Dax bleef geërgerd achter.

Hij besloot op zoek te gaan naar Gideon, maar er viel geen spoor van hem te bekennen, en van Luke trouwens ook niet. Verslagen zwierf Dax over het schoolterrein. Hij dacht dat de jongens misschien ergens onder de grond zaten, in een van de lokalen voor de les Ontwikkeling. Misschien had Owen iets ontdekt om Lukes verborgen gave aan het licht te brengen. Ineens drong er nog iets tot Dax door. Het was merkwaardig geweest dat Gideon en Luke tegelijkertijd waren opgestaan en hun potlood hadden laten vallen. Beschikte Luke dan toch over een gave? Er moest een band tussen Gideon en Luke bestaan. Maar dat was niet ongebruikelijk bij een tweeling...

Terwijl Dax op het hek rond het sportveld zat, keek hij naar een paar leerlingen die een balletje trapten. Gideon zou hem toch wel komen zoeken? Dan zou hij hem natuurlijk gauw vertellen wat er aan de hand was. Voor je beste vriend had je geen geheimen.

Plotseling hoorde hij achter zich een fluitend geluidje.

'Hoi, Barry,' zei hij.

Barry zuchtte geërgerd. 'Je hoort niet te weten dat ik hier ben,' zei hij. Een eindje verder maakte hij zich zichtbaar.

'Nou, dan moet je je adem maar inhouden,' zei Dax lachend, blij dat er toch nog een vriend naar hem toe was gekomen.

'Die verdomde amandelen ook,' mopperde Barry. Hij klom op het hek en ging zitten. 'Volgend jaar laat ik ze weghalen.'

'Dat zal vast helpen,' reageerde Dax. Doordat Barry's neusamandelen te groot waren, maakte hij fluitende geluidjes bij het ademhalen. Iedereen was daaraan gewend, en ze vonden het best schattig.

'Voor jou zal het weinig verschil maken, hè?' zei Barry. 'Jij weet toch wel dat ik er ben.'

'Niet als ik verkouden ben,' zei Dax. 'Als ik niets kan ruiken en jij niet meer van die fluitende geluidjes maakt en niet overal tegenaan loopt, zou ik echt niet merken dat je voor mijn neus stond.'

'Nou, daar moet ik me dan maar op verheugen.' Barry wist dat Dax over krachtige vossenzintuigen beschikte, en hij wist ook dat hij niet erg gevoelig was voor schoneschijn. Dax had hem verteld dat hij hem weliswaar niet echt kon zien wanneer hij zich onzichtbaar had gemaakt, maar wel de trillingen in de lucht. Van dichtbij kon Dax dus altijd merken dat er iemand in de buurt was, al had diegene zich nog zo goed onzichtbaar gemaakt.

'Wat is er met Gideon?' vroeg Barry.

'Geen idee,' antwoordde Dax.

Barry keek verbaasd, maar hij zei niets. Zwijgend zaten ze op het hek terwijl de zeewind tegen hun achterhoofd waaide. Uiteindelijk zei Barry: 'Wie is dat? Is dat Spook? Ik wist niet dat hij hier een hond mocht hebben.'

Later begreep Dax dat het door de zeewind kwam dat hij niets had gemerkt. Pas toen Spook maar een paar meter bij hen vandaan was, pikte Dax de geur op.

'Hoi Dax!' riep Spook gespeeld opgewekt. Hij had een valse grijns op zijn gezicht en om zijn hand had hij een ge-vlochten, leren riem gedraaid. Aan die riem trok een jan-kende jachthond met een woeste blik in zijn ogen. 'Ik dacht dat je je oude vriend wel weer zou willen zien!' riep Spook. Hij liet de riem los. Meteen blafte de hond en sprong op Dax af, die als verstijfd op het hek bleef zitten.

De hond had een gruwelijk effect op Dax. Hij wist best dat de hond geen echte bedreiging voor hem vormde. Het was gewoon een hond en Dax was op dit moment geen vos. Maar diep vanbinnen raakte hij toch in paniek. Zijn keel was dichtgeknepen van angst en hij kon niet slikken. Hij omklemde het hek met zijn handen, terwijl zijn benen als rubber aanvoelden. De hond sprong naar hem, blafte en snoof. Dax zag het kwijl op zijn tanden en de roze lap tong in zijn bek. Ineens werd alles donker. Dax dacht dat hij gilde, maar er kwam geen geluid uit zijn keel. Zijn ogen sperden zich open en het koude zweet brak hem uit, over zijn hele lichaam.

De hond werd steeds meer opgewonden, hij zette zijn tanden in Dax' broek en trok eraan, waardoor Dax' slappe benen bungelden als die van een lappenpop.

Dax voelde de warme adem en de scherpe tanden. Als Barry er niet bij was geweest, zou hij misschien wel achter het hek zijn gesprongen, van de helling af zijn gerold en in zee zijn gestort. Het leek alsof hij alleen nog maar kon ster-ven en het meest angstaanjagende was wel dat een deel van hem dat ook wílde. Hij moest weg, uit de buurt van dat overweldigende gevoel van paniek.

Maar Barry sprong van het hek en gaf de hond een duw. 'Hé!' riep hij uit. 'Wegwezen, lelijk vuilnisbakje!'

Jankend liet de hond Dax' broekspijp los, maar hij bleef om die merkwaardige jongen heen draaien die naar vos rook. De hond hijgde en had een hongerige blik in de ogen. Toen hij Dax weer wilde bespringen, dacht Dax dat hij zou flauwvallen. Hij zat nog steeds doodstil op het hek, maar vanbinnen voelde het alsof er een kermis aan de gang was.

Weer duwde Barry de hond weg en Dax werd zich bewust van een treiterig lachen. Spook Williams stond dubbel van het lachen op het sportveld, met achter zich de jongens die aan het voetballen waren geweest, maar die keken alleen maar verbaasd toe. Sommigen gniffelden weliswaar, maar de meesten keken onzeker. Een van hen, Darren Tyler, liep kwaad op Spook af.

'Chip! Chip! Kom hier!' riep Spook hiklachend. 'Kom hier, ouwe jongen!'

Tegen zijn zin liep de hond terug naar Spook, maar hij keek wel steeds achterom.

'Hou op, Spook. Dit is niet leuk,' zei Barry.

Voor Dax klonk het alsof het van heel ver weg kwam. Hij liet zijn hoofd hangen en staarde naar de scheur in zijn broek die de hond had gemaakt. Hij trilde en besefte ineens dat zijn mond openstond. Gauw deed hij hem dicht. Hij zei niets en hij deed niets.

Barry zei nog iets lelijks tegen Spook en na een poosje ging Spook er met de hond vandoor. Ook de voetballers gingen verder met hun spel.

Nog steeds keek Dax naar zijn knie. Er zat bloed op, dat de rand van de scheur kleurde.

'Dax, gaat het een beetje?' vroeg Barry.

Dax haalde bevend adem.

'Zal ik meneer Hind halen? Je ziet er niet al te best uit.'

'Nee!' Plotseling kwam Dax uit zijn verdoofde toestand. Hij wilde absoluut niet dat Owen wist wat hem daarnet was overkomen. 'Je mag het aan niemand vertellen!'

'Oké,' zei Barry niet erg op zijn gemak. Hij hielp Dax van het hek af. 'Maar je weet toch dat Spook het overal zal rondbazuinen? Wat had je nou eigenlijk? Ik bedoel, het was best een rothond, maar...'

'Niks,' mompelde Dax. Hij zette koers naar de jongens-afdeling. 'Dankjewel dat je hem hebt verjaagd, Barry.'

Barry liep achter Dax aan en Dax rook dat Barry in de war was. Zelf schaamde Dax zich diep. Hij had zich nog nooit zo'n grote stommeling gevoeld. Hij durfde Barry niet eens aan te kijken. Hij verlangde naar zijn beste vriend. Waar was Gideon toch? Gideon kon alles altijd weer goedmaken met een geinige opmerking.

Alsof Gideon gedachten kon lezen, stond hij ineens aan de rand van het gazon te zwaaien.

Dax rende over het gras en hoopte dat er niets meer aan hem te zien zou zijn. Nu ja, als er nog sporen van zijn pa-niekaanval waren overgebleven, zou Gideon daar toch niets van merken. Hij zag er opgewonden uit en greep Dax bij zijn arm.

'Kom mee! Kom mee!' zei hij en meteen rende hij naar de andere kant van het gazon, langs de fontein. Vervolgens trok hij Dax door de glazen deuren en door de gang. Daar-na liep hij zonder te kloppen de werkkamer van Paulina Sartre in.

Binnen zat de rectrix achter haar bureau, Owen zat op de vensterbank. Naast de open haard zat Luke op de leren bank, met naast zich nog iemand.

Het was een meisje van hun leeftijd. Ze was klein en heel mooi, met dik, donker haar dat ze in een pagekapsel droeg. Op haar neus zaten sproetjes en ze had fonkelende groene ogen. Met een hartveroverende lach keek ze op naar Dax. 'Hoi,' zei ze. 'Jij bent zeker Dax. Ik heb al veel over je gehoord.'

Dax keek vragend van haar naar Owen en vervolgens naar Gideon. Hij had dit meisje nooit eerder gezien en toch had ze iets bekends.

Het meisje bleef rustig zitten met haar slanke handen in haar schoot en keek stralend naar hem op, met een uitdrukking op haar gezicht die hij heel goed kende.

Even zweeg iedereen, toen stond Owen op en zei: 'Gideon?'

Gideon keek Luke aan, en toen Dax. 'Dax,' zei hij, en aan zijn stem was te horen hoe opgewonden hij was, 'dit is Catherine, ons zusje.'

9

Dax stond sprakeloos. Hij staarde het meisje aan en ze lachte vrolijk terug.

Luke en Gideon grijnsden breed. 'Sorry als ik je heb laten schrikken,' zei Gideon uiteindelijk.

'Wist... wist je dat? Dat je een zusje had?' vroeg Dax, die eindelijk zijn stem weer had gevonden.

'Nou, zo half en half,' antwoordde Gideon. Hij schuifelde met zijn voeten. 'Toen Luke hier eenmaal was, hadden we allebei het gevoel dat er nog iets stond te gebeuren. Of dat er nog iemand zou komen.'

'En hier ben ik dan,' zei Catherine. Ze stond op. Ze was gekleed in modieuze sportkleding en had dure sportschoenen aan. In haar haar had ze aan weerskanten speldjes met glitter. Ze liep op Dax toe en stak haar hand uit. Net als bij Lisa waren haar nagels keurig geknipt. Ze deed hem denken aan een geslaagde zakenvrouw, goedgekleed en gehaaid. Zonder iets te zeggen schudde hij haar hand. De hand was warm en haar handdruk krachtig, zoals dat bij een geslaagde zakenvrouw hoort.

'Leuk je te leren kennen, Dax,' zei ze met weer zo'n hartveroverende lach.

Ineens drong het tot Dax door dat ze een Amerikaans accent had. En toen voelde hij zich plotseling doodmoe. Dat kwam zeker van de schrik. 'Mag ik even gaan zitten?' vroeg hij.

'Natuurlijk, Dax. Ga hier maar zitten.' Mevrouw Sartre legde haar hand op zijn schouder en duwde hem zachtjes naar een eikenhouten stoel met leren zitting naast haar bureau.

'Hebben jullie haar helemaal in Amerika gevonden?' vroeg Dax.

Mevrouw Sartre knikte. 'We denken dat Catherine de laatste is,' zei ze terwijl ze weer plaatsnam achter haar bureau. Ook Catherine, Luke en Gideon gingen zitten in de kamer waarvan de wanden waren bedekt met boekenplanken. 'Dax, je weet dat we een hele poos hebben gedacht dat jíj de laatste zou zijn. Dat er 109 Koms waren. Nu blijken het er 111 te zijn. Eén, één, één. Een krachtig getal.'

'Beschikt ze over een gave?' vroeg Dax. Het was hem opgevallen dat Catherine een geamuseerde uitdrukking op haar gezicht had gekregen omdat er over haar werd gesproken alsof ze er niet bij was. Hij wist dat dat onbeleefd was, maar dat kon hem nu niet schelen.

'We denken van wel. Al weten we niet precies waaruit die gave bestaat. Het kunnen verschillende gaven zijn, nietwaar, Catherine?'

Catherine hield Gideons hand vast. 'Ja, mevrouw Sartre,' reageerde ze stralend. Ineens steeg een potlood van mevrouw Sartres bureau op, bleef even bibberend zweven en viel toen met een plofje weer neer.

'Je lijkt niet erg onder de indruk,' zei Dax terwijl hij naar het meisje keek. Hij deed zijn best om via zijn zintuigen hoogte van haar te krijgen, maar dat viel niet mee. Misschien omdat ze uit een ander land kwam, of misschien omdat hijzelf nog een beetje draaierig was.

'O, dat lijkt misschien zo, maar ik vind het fantástisch,' zei ze. Ze klonk net als zo'n meisje uit een Amerikaanse tienerserie op tv. 'Ik dacht: o wauw, dit is niet waar. Eerst ging ik helemaal over de rooie, maar nu...' Ze lachte naar haar broers, waarbij haar groene ogen fonkelden. 'Ik zou nergens anders meer willen zijn dan hier!'

'Nou, dan moeten je broers je maar eens de school laten zien,' zei mevrouw Sartre. Ze stond op en iedereen volgde haar voorbeeld. 'Zorg dat ze de regels kent,' zei ze nog. 'En geen gekke dingen uithalen, Gideon!'

Gideon grijnsde en zei: 'Wie? Ikke?'

Dax liep achter de drieling aan het vertrek uit, maar plotseling tikte mevrouw Sartre hem op de schouder. Hij kreeg een schokje van haar aanraking en daardoor wist hij dat ze hem iets belangrijks wilde vragen.

'Ik kom zo,' riep hij de anderen na, maar die liepen al pratend en lachend het gazon op. Ze keken niet eens achterom.

'Wat is er?' vroeg hij zodra de rectrix de deur had dichtgedaan. Owen stond nog steeds bij het raam.

'Voor jou is dit moeilijk, hè?' zei de rectrix. Nog steeds met haar hand op zijn schouder keek ze hem aan met haar zachte, grijze ogen.

Meteen besefte hij dat ze hem 'las'. Hij probeerde haar daar niet van te weerhouden. 'Het is wel een beetje vreemd, vindt u niet?' reageerde hij.

'Een beetje vreemd? Ja, zeker. Maar we zijn allemaal een beetje vreemd, toch?' Ze liet hem los en gebaarde dat hij op de bank moest gaan zitten.

Dax plofte neer. Pas toen zijn staart netjes om zijn poten krulde, drong het tot hem door dat hij zonder erbij na te denken in een vos was veranderd. Beschaamd veranderde hij zich weer in een jongen. 'Sorry,' zei hij.

'Het geeft niet,' mompelde ze.

Owen glimlachte meelevend.

'Het gaat intuïtief,' ging Paulina Sartre verder. 'Je voelt je bedreigd.'

'Nee, hoor,' zei Dax. 'Met mij gaat het prima.'

'Ja, het gaat uitstekend met je. Wat ik bedoelde, is dat je je onzeker voelt. En dat is vast erg vreemd.'

'Ik voel me vooral moe,' mompelde Dax.

Paulina Sartre ging ook weer zitten en zette haar bril af om even in haar ogen te wrijven. 'Het zijn opwindende tijden. We hebben Catherine pas een week geleden gevonden, in Californië. We wisten niet dat er buiten het Verenigd Koninkrijk ook Kinderen met Onbegrensde Mogelijkheden waren. In andere landen van Europa hebben we ze niet aangetroffen.'

'Maar... waarom was ze zo ver weg? En waarom is de drieling zo uit elkaar geraakt?' vroeg Dax. 'Ik snap het niet. Hoe kun je nou een drieling kwijtraken? Drielingen zijn schaars. Je kunt de kinderen niet zomaar alle kanten op sturen!'

Bij het raam zei Owen: 'Zoals ik je al heb verteld, waren Gideons ouders al uit elkaar toen zijn moeder beviel. Ze waren al uit elkaar toen zijn moeder nog niet eens wist dat ze zwanger was. Toen de kinderen werden geboren, besloot ze er twee ter adoptie af te staan. Dat komt vaker voor bij alleenstaande moeders zonder bron van inkomsten. Ze besloot Gideon te houden en Luke en Catherine te laten adopteren. Toen het weer goed kwam tussen Gideons ouders, wist Gideons vader niet beter of zijn vrouw had één kind gekregen, Gideon. We zouden er al veel eerder achter gekomen zijn als het bureau waar de informatie werd bewaard niet acht jaar geleden was getroffen door een overstroming. Daardoor zijn veel documenten verloren gegaan. Weet je, we zouden nooit naar Luke op zoek zijn gegaan als mevrouw Sartre niet het gevoel had gekregen dat Gideon een broer moest hebben. Achteraf gezien waren het een broer en een zusje.'

'Maar Catherines familie in Amerika dan? Vonden ze het zomaar goed dat ze hiernaartoe kwam?' vroeg Dax. 'Dat kan ik nauwelijks geloven.'

'Catherine woonde bij pleegouders,' antwoordde de rectrix luchtig. 'Ze wilden haar graag laten gaan zodra ze beseften dat ze een goede opleiding zou krijgen. Catherine woonde nog maar een paar maanden bij hen, dus vond zij het ook wel best.'

'Pleegouders? Ik dacht dat ze net zoals Luke was geadopteerd.'

'Dat is niet erg goed gegaan,' zei Owen. 'Ze is inderdaad geadopteerd. Gezonde, schattige baby's worden altijd geadopteerd. Maar haar ouders kwam om bij een auto-ongeluk toen ze vier was. Ze heeft een poosje in een kindertehuis gewoond, werd toen weer geadopteerd, maar deze keer pakte het niet goed uit. De moeder bleek geestelijke problemen te hebben en kon het moederschap niet aan. Ze wilde de duivel uit Catherine laten verdrijven door een priester. Die priester heeft toen contact opgenomen met een welzijnsinstelling.'

'De duivel uitdrijven?' vroeg Dax. 'Dat is toch zeker een grapje?'

Owen schudde zijn hoofd. 'We vroegen ons af of Catherine misschien al op jonge leeftijd blijk heeft gegeven van een buitengewone gave. Een paar van onze leerlingen hier hadden al heel jong vreemde ervaringen, maar niet zo uitgesproken als nu. Voor iemand die geestelijk toch al niet helemaal gezond is, kan zoiets erg beangstigend zijn. Maar goed, Catherine belandde dus weer in een kindertehuis en heeft sindsdien in verschillende pleeggezinnen gewoond. Dat is niet ongewoon voor een kind dat de kleuterleeftijd al voorbij is. Het is lastig om adoptieouders te vinden voor kinderen die al wat ouder zijn.'

Heel even vroeg Dax zich af waarom ze hem dit allemaal vertelden.

Blijkbaar had mevrouw Sartre dat gemerkt. 'Wat vind je van haar, Dax?' vroeg ze.

Verrast keek hij haar aan. 'Wilt u weten wat ík van haar vind?'

'Ja. Je hebt altijd een interessante kijk op dingen,' antwoordde ze. 'En je bent ongevoelig voor schoneschijn.'

Hij staarde haar aan. Ze wist het! Dan wist Owen het zeker ook...

'Och...' mompelde hij, terwijl hij zich afvroeg hoeveel mensen van zijn geheim op de hoogte waren.

'Nou?'

'Ik... ik weet het niet,' zei hij. Met een frons dacht hij na over het Amerikaanse zusje. 'Ze... ze is slim. En vrolijk. Ik denk dat ze het hier wel zal redden. Iedereen zal haar aardig vinden.'

'En jij, Dax? Denk je dat jij haar aardig gaat vinden?' De rectrix boog zich over haar bureau en keek hem strak aan.

Dax keek gewoon terug. 'U weet best dat ik jaloers ben op Luke.'

Ze knikte en lachte toen goedkeurend naar hem omdat hij zo eerlijk was.

'Ik weet niet hoe ik het vind dat er nog eentje is...' ging Dax verder. 'Ik weet niet meer wat er vanbinnen allemaal gebeurt.'

Bij het avondeten zag hij hen weer. Catherine zat bij hen aan tafel. Jessica Moorland en Claire Farmer, een telekineet uit Gideons cluster bij de les Ontwikkeling, hadden ook een stoel aangeschoven om met het nieuwe meisje te kunnen praten. Er was nog maar net plaats voor Dax om op zijn gebruikelijke plaats naast Lisa te gaan zitten.

'Ze heeft dus geen problemen met wennen,' fluisterde hij tegen Lisa terwijl hij een plekje probeerde te vinden voor zijn bord spaghetti.

'O nee,' zei Lisa, die het nieuwe meisje goed in de gaten

hield. 'Ze moet ze van zich afslaan. Volgens mij lijkt ze een beetje op Mia. Ze betoveren iedereen.'

'En jij?'

'Ik weet het niet. Ik heb haar nog niet echt gesproken. Weet jij meer van haar?'

In het kort vertelde Dax wat hij van Owen en rectrix Sartre had gehoord. 'Ze heeft het niet gemakkelijk gehad,' besloot hij.

Lisa trok een gezicht. 'Wie wel?' zei ze.

Dat vond Dax niet helemaal eerlijk. Lisa had een vader die dol op haar was en die haar alles gaf wat haar hartje begeerde. Gideons vader hield van zijn zoon en steunde hem door dik en dun. Luke had fijne adoptieouders getroffen. Toen de drieling werd gescheiden, was Catherine er zonder twijfel het slechtst van afgekomen.

'Toch heeft ze daar geen last van,' zei Lisa. 'Ik vind haar fantástisch.'

Geërgerd schudde Dax zijn hoofd. 'Soms ben je wel heel erg oppervlakkig, Hardman,' zei hij.

Lisa gooide een erwtje in zijn richting.

Catherine was heel innemend, daar kon geen twijfel over bestaan. Ze had een grappig accent, ze bewoog zich soepel en sierlijk, en ze was erg vriendelijk. Luke en Gideon leken het leuk te vinden om met haar te pronken. Tegen de regels in liet Gideon bestek boven tafel zweven waarmee hij de groenten op hun borden verschoof. Ondertussen zat Luke grijnzend naast zijn broer en keek voortdurend even naar zijn nieuwe zusje. Catherine raakte iedereen steeds aan, dat viel Dax echt op. Hij wist dat Amerikanen veel spontaner zijn dan Engelsen, dus vermoedde hij dat het normaal was voor haar. Terwijl Catherine met Gideon, Jessica en Claire praatte, raakte ze hier een arm aan, daar een schouder, en soms zelfs een wang. En aldoor zat ze in Gideons hand te knijpen. Als iemand anders zich zo gedroeg, zou het merkwaardig zijn overgekomen, maar bij Catherine leek het heel gewoon.

Dax wipte zijn stoel achterover en stak zijn hand uit achter Lisa langs om Mia op haar schouder te tikken. 'Wat vind jij?' vroeg hij.

Ze schoof een eindje zijn kant op om antwoord te geven. 'Ze is erg mooi,' zei ze met haar gebruikelijke warme lach. 'Gideon en Luke boffen maar met haar. Ik zou ook graag een zusje willen hebben.'

Dat was nog zoiets raars. De leerlingen waren bijna altijd enig kind. Sommigen hadden wel halfbroertjes en -zusjes, maar slechts een paar hadden echte broertjes of zusjes. Onder de telekineten waren een broer en een zus, en er waren ook de broers Jacob en Alex Teller, die allebei telepathisch begaafd en heel goede mimieken waren. Vorig jaar had Dax in een deuk gelegen toen ze Spook en de sinistere meneer Eades hadden nagedaan.

'Hé! Engerd!' Catherine slaakte een gilletje.

Dax zag dat Gideon weer bezig was. Hij had net prikkeldraad met haar arm gedaan, zodat hij haar de helende krachten van Mia kon laten zien. Dat had hij indertijd ook bij Dax gedaan. Catherine werd naar Mia gebracht en Mia gaf Gideon de wind van voren. Vervolgens nam Mia de gloeiende pols in haar handen. Catherine opende verwonderd haar mond. 'O wauw!' zei ze. 'Wat fantástisch! Ik sta helemaal paf.' Ze stak haar arm op, die helemaal niet meer rood was. Vervolgens pakte ze Mia's handen en keek haar strak aan. Mia bloosde. 'Hoe doe je dat?' vroeg Catherine. 'Wat een fantástische gave! O wauw, ik wou dat ík dat kon... Wat een gave!'

Mia keek erg verlegen. Toen Catherine haar handen eindelijk losliet, pakte ze snel haar lepel en concentreerde zich op haar soep.

Naast Dax zat Lisa te giechelen. 'O wauw,' deed ze Catherine zachtjes na. 'Mia, je bent fantástisch!'

94

'Sst!' siste Mia. Snel at ze haar soep op en stond toen op. 'Ik ga naar bed,' kondigde ze aan. 'Ik ben doodop.'

Toen ze wegliep, riep Catherine haar na: 'Hé, Mia, wacht! Ik slaap bij je op de kamer. Mag ik met je mee?'

Mia knikte glimlachend.

Gauw sprong Catherine op, drukte een zoen op het voorhoofd van haar broers en huppelde achter Mia aan.

Een poosje bleef iedereen zwijgen. Het was alsof hun energie met Catherine mee de eetzaal uit was gehuppeld. Toen keek Gideon Dax aan. 'Een hele schok, hè?' zei hij grijnzend. Vervolgens streek hij geeuwend door zijn haar. 'Het was al raar genoeg dat Luke er ineens was...'

Luke grijnsde breed. Zo leken de broers als twee druppels water op elkaar.

'En nu zijn we met z'n drieën,' ging Gideon verder. 'Drie voor de prijs van één! De school boft maar.'

'Weet je vader het al?' vroeg Dax.

'Ja, ze hebben hem gisteravond gebeld. Morgen komt hij hier, voor een familiereünie,' antwoordde Gideon. 'We gaan met z'n allen naar Polgammon om te eten, elkaar te omhelzen en te huilen. Catherine doet het omhelzen, en Luke en ik gaan om de beurt huilen. Waarschijnlijk huilt mijn vader gezellig mee.'

Dax vroeg zich af hoe Gideon dit allemaal zo luchtig kon opnemen. Maar toen dacht hij dat Gideon misschien niet anders kón. Zijn hele leven was op zijn kop gezet. Dax wilde hem dolgraag even alleen spreken om erachter te komen hoe hij zich werkelijk voelde. Hij kreeg maar niet de kans hem onder vier ogen te spreken. Dus besloot hij Gideon wakker te maken en een middernachtelijk wandelingetje met hem te maken, als dat tenminste zou lukken zonder Luke uit zijn slaap te halen.

Na het eten, toen het buiten schemerde, zei Dax tegen Gideon dat hij hem straks wel in de woonkamer zou zien.

Eerst moest hij nog iets doen. Snel veranderde hij zich in een vos en stoof toen het vossenpaadje op naar het bos boven het schoolterrein. Hij draafde naar de plek waar hij de vorige nacht de wolf was tegengekomen. Daar bleef hij staan en deed zijn best zich te herinneren waar de wolf hem naartoe had gebracht. Hij snoof de lucht op en draafde toen doelbewust naar het oosten totdat hij aan de rand van het bos kwam en de oude appelboom zag. Hij keek naar boven en vroeg zich af wat de wolf hem duidelijk had willen maken. Hij had met zijn klauwen over de stam geschraapt en vervolgens omhooggekeken.

Maar Dax zag niets bijzonders aan de boom. Gewoon bladeren en een paar bloesems. Geen aanwijzingen. Met een zucht draaide hij zich om en zette koers naar het pad.

Eenmaal in de woonkamer hoopte hij dat hij met Gideon over de afgelopen nacht zou kunnen praten. Hij wilde zijn vriend vragen wat die ervan dacht. Maar Luke zat op de bank bij het haardvuur met Barry te praten. Hij deelde speelkaarten uit.

'Waar is Gideon?' vroeg Dax.

Luke keek op van de kaarten. 'Die is al naar bed. Hij zei dat hij kapot was van alle verloren gewaande broers en zusters.'

Dax ging naar boven; hij wilde zijn vriend spreken, maar daar was weinig kans op. Gideon lag helemaal onder het dekbed. Alleen een paar plukken haar waren nog te zien. Het was nog maar acht uur en Gideon sliep al als een blok.

10

De deur naar lokaal 12 van Ontwikkeling ging open en Gideon kwam wankelend naar buiten. Hij zag erg bleek.

'Hoe ging het?' vroeg Dax gespannen. Nu was hij blij dat hij zijn vriend niet wakker had gemaakt voor een wandeling. Gideon had overduidelijk slaap nodig gehad. Zo te zien had hij trouwens nog steeds niet genoeg geslapen... 'Was het heel erg? Hebben ze schroeven in je schedel geboord?' Dax werd er zenuwachtig van.

Gideon plofte naast hem neer en schudde zijn hoofd. 'Nee, het was niet eng. Ik moest gaan liggen in een soort metalen doodskist. Op een soort plank, net een pizza die in de oven wordt geschoven.'

Dax knikte. Hij voelde zich nog geen haar beter. Toen de rectrix die ochtend had aangekondigd dat ze zouden worden onderzocht, wist hij nog niet dat ze een MRI-scanner hadden laten komen. Dit peperdure apparaat waarmee tumoren en andere aandoeningen konden worden opgespoord, sneed een lichaam virtueel in plakjes: allemaal plaatjes, het ene na het andere.

'Het snort en zoemt,' ging Gideon verder. Hij wreef in zijn ogen en geeuwde. 'En het schudt. Met het geluid maken ze een soort röntgenfoto's. Het geluid wordt teruggekaatst door het zachte dat in je lijf zit. Zo kunnen ze in kaart brengen wat er onder je vel en tussen je botten zit. Je moet heel stil blijven liggen, anders wordt het vaag.'

'Dat klinkt niet heel erg,' reageerde Dax.

'Het was ook niet erg. Dat gedeelte ervan was best tof.'

'Waarom zie je er dan zo ontdaan uit?'

'Nou, ze vragen je of je muziek wilt horen door de koptelefoon die je op je hoofd kunt doen terwijl je in het apparaat ligt. Want het duurt wel een kwartier.'

'Nou en?'

'Ik vroeg om popmuziek... Ik... ik wil er liever niet meer aan denken.' Gideon huiverde, grijnsde toen en begon te lachen.

'Wat is er?'

'Ik zat vast in een metalen buis en kon me niet bewegen. En ze draaiden achter elkaar nummers van Celine Dion.' Gideon rilde overdreven en lachte kakelend.

Dax lag dubbel. Gideon had nergens zo'n hekel aan als aan suikerzoete liedjes.

'Ik heb nog geroepen,' zei Gideon. Hij snoof. Langzamerhand had zijn gezicht weer een normale kleur gekregen. 'Maar niemand hoorde me boven al dat gezoem en gerammel uit. Echt, ik zou ze een proces moeten aandoen vanwege de emotionele schade die ik heb opgelopen.'

Ze zaten nog te lachen toen meneer Eades de deur opendeed en fronsend naar hen keek. Snel trokken ze een ernstig gezicht. Meneer Eades zei bijna nooit iets. Hij was een grijze man in een grijs pak, met grijze haren en een grijze manier van doen. Eigenlijk was hij best eng.

'Kom maar binnen, meneer Jones,' zei hij op zijn gebruikelijke toonloze manier.

Dax liep naar binnen.

'Je moet hier je handtekening zetten,' zei meneer Eades zodra de deur achter hen was dichtgevallen. Ontwikkeling 12 was een vierkante ruimte die werd verlicht met neonbuizen. Op de vloer lag een dik tapijt en op de muren zaten witgeverfde kurktegels. Om het geluid te dempen, dacht Dax.

Aan één kant van de ruimte was een gedeelte afgescheiden door een glazen wand. Twee vrouwen in witte jassen waren bezig achter een paneel vol knopjes en monitors. Het zag er allemaal heel technisch uit, het deed Dax denken aan een opnamestudio. En dat was het eigenlijk ook een beetje.

Meneer Eades hield een klembord vast met een formulier erop. Aan het klembord hing een touwtje waaraan met plakband een pen zat bevestigd, die drukte hij in Dax' rechterhand. Dax las het formulier vluchtig door en zag dat onderaan al de handtekening van Gina stond. Ze had toestemming gegeven dat hij binnenstebuiten zou worden gekeerd, zoals hij het noemde. De tekst op het formulier was erg medisch en legaal, daar had Gina vast niet veel van gesnapt. Het zou haar trouwens toch niet kunnen schelen, zelfs niet als ze gloeiende poken in zijn neusgat hadden willen steken om zijn hersens te barbecueën. Maar Dax vertrouwde Owen en hij wist dat Owen ervan op de hoogte was dat deze proefnemingen werden gedaan. Als Owen het goedkeurde, kon Dax dat ook. Hij zette zijn handtekening.

'Zo, meneer Jones,' zei meneer Eades terwijl hij Dax in de richting van de scanner duwde. 'Je moet hier ongeveer een kwartier ontspannen in liggen. Je mag je niet bewegen. Wil je nog naar de wc? Dan moet je dat nú doen.'

Dax schudde zijn hoofd en keek naar de MRI-scanner. Die was groot genoeg voor een volwassene en bestond uit een rechthoek van wit gespoten metaal die van boven rond was. Er kwamen allemaal snoertjes, slangetjes en metalen bouten uit. Er was ook een soort lopende band en er was een plekje om je hoofd op te leggen. Binnen was het apparaat verlicht en naast de hoofdsteun lag inderdaad een koptelefoon.

'Het maakt nogal veel herrie,' zei meneer Eades terwijl hij Dax hielp te gaan liggen op de lopende band.

Een van de vrouwen met een witte jas aan kwam uit het glazen hokje en legde Dax' hoofd goed. Vervolgens plakte ze een soort pleisters op zijn hoofd waar snoertjes aan zaten. Ze glimlachte naar hem.

'Wil je muziek horen?' vroeg meneer Eades.

Dax grijnsde breed.

'Klassiek, jazz of pop?' vroeg meneer Eades toonloos. Hij was geen echt goede deejay...

'Klassiek,' zei Dax snel.

De vrouw met de witte jas glimlachte weer en zette de koptelefoon bij hem op. 'Ontspan je maar en blijf heel stil liggen,' zei ze. Vervolgens drukte ze op een knop.

Meteen schoof Dax op de lopende band het apparaat in. Het was geen prettig gevoel. Het was er smal en hij kwam met zijn neus bijna tegen het metaal aan. Eenmaal op zijn plek zag hij een spiegel boven zijn hoofd waardoor hij kon zien wat er buiten het apparaat gebeurde, ook al zat hij zelf in de buis. Dax slikte een paar keer. Zijn hart ging sneller slaan. Hij vond dit helemaal niet prettig.

Meneer Eades had zich teruggetrokken achter de glazen wand en de deur van het hok dichtgedaan. De vrouwen stonden gebogen over de knopjes en de monitors.

Dax hoorde niets dan zijn eigen, jachtige ademhaling, die nog werd versterkt door het metaal om hem heen. Hij probeerde rustig te blijven. Hij hoefde hier maar een kwartiertje te liggen. Hij moest ontspannen. Met gesloten ogen deed hij zijn best zichzelf onder hypnose te brengen, precies zoals Owen hem dat had geleerd. Maar zodra hij zich had ingebeeld dat hij zich in het bos bevond, hoorde hij een metalig klinkende uitvoering van 'Greensleeves' uit de koptelefoon komen. Het was minder erg dan Celine Dion, maar toch behoorlijk vervelend, met een goedkoop keyboard, een niet erg vast ritme en af en toe een valse noot. Maar het leidde hem wel af.

En toen begon de echte herrie. Het klonk alsof iemand met een schep op de scanner had geslagen. Dax bewoog van schrik en herinnerde zich toen weer dat hij heel stil moest blijven liggen. Het bleef maar kloppen en galmen, en Dax voelde zich misselijk worden. De geluiden kwamen hem erg bekend voor. Het was ook angstaanjagend om in zo'n kleine ruimte opgesloten te zitten.

Een poosje deed hij dapper zijn best zichzelf te hypnotiseren. Hij haalde diep adem en zette zijn nagels in zijn handpalm om maar niet te hoeven denken aan waar hij niet aan wílde denken. De gedachten bleven echter maar komen. Hij beet op zijn tong en proefde bloed. Hij hoopte maar dat de bloedsmaak die akelige gedachten zou verdrijven, maar dat was niet zo. Hij lag daar als verlamd en de duisternis in zijn hoofd nam de macht over hem over. Hij kon niet meer goed denken. En toen lag hij opeens weer doodsbang in dat holletje diep onder de grond.

Hij hoorde de jagers en de scheppen waarmee ze het gangetje afgroeven. Hij hoorde het blaffen van de honden. Het galmen door het gangetje. Als verstard lag Dax in de metalen buis, zijn hart bonsde en het klamme zweet brak hem uit. Hij voelde zich steeds misselijker worden, hij proefde de zurige smaak al in zijn mond. Tegelijkertijd werd hij net als in het vossenhol overspoeld door een verslagen gevoel. Hij kon het maar beter opgeven en wegzinken in vergetelheid. Niets meer kunnen voelen zou beter zijn dan deze angst die hem leek te verscheuren.

Opeens voelde Dax iets trekken aan weerskanten van zijn kop. Meteen besefte hij tot zijn schrik dat hij was veranderd. De pleisters op zijn kop kwamen los van zijn vacht. In paniek was Dax uit de scanner geglipt. Hij zat nu in een hoekje van het vertrek en trilde zo heftig dat hij nauwelijks meer goed kon zien.

De deur van het glazen hokje werd opengerukt en meneer Eades beende er kwaad doorheen. 'Wat doe je in vredesnaam, Jones?' vroeg hij boos. Toen bleef hij ineens staan. Hij had de vos gezien die onder een stoel in de hoek zat te bibberen.

Dax kon niets doen. Hij kon meneer Eades niet eens zien. Hij zag alleen maar wat er zich had afgespeeld in het vossenhol, vlak voordat hij werd gered. Die scène werd keer op keer afgespeeld, alsof het op een dvd stond. Hij zag de scherpe tanden van de voorste hond, de donkere aarde met het fijne netwerk van worteltjes, hij hoorde het janken van de honden en het scheppen van spaden over aarde, hij voelde de warme adem van de hond op zijn snuit en legde zich neer bij de dood. Op de een of andere manier wilde de volgende scène niet komen, de scène waarin Owen hem had bereikt en uit het holletje trok.

'Au! Allemachtig, Dax, hou daarmee op!'

Ineens kwam Dax terug tot de werkelijkheid. Het drong tot hem door dat hij ergens op beet. Op Owen. Hij knipperde met zijn ogen en zag toen dat Owen zijn hand vasthield en dat de hand bloedde uit kleine tandafdrukjes. Dax probeerde te zeggen dat het hem speet, maar er kwam alleen een soort jankend geluidje uit. Hij was nog steeds een vos.

Owen leek te beseffen dat Dax 'terug' was. Hij pakte hem op en liep met hem de gang op. 'Blijf daar,' zei hij streng tegen meneer Eades, die achter hen aan wilde gaan.

De grijze man kneep zijn lippen op elkaar, maar liet de deur naar het lokaal toch dichtvallen.

Zodra Owen en Dax alleen in de koude gang waren, zette Owen Dax neer en ging op een stoel zitten.

Het was stil op de gang. Het liefst had Dax zich opgekruld om te gaan slapen. Maar hij wilde ook zijn excuses aanbieden, dus verzamelde hij alle energie die hij nog overhad en veranderde terug in een jongen. Zijn hemd plakte tegen zijn rug en toen hij zijn vuisten niet meer gebald hield, zag hij in elke handpalm vier halvemaanvormige wondjes. Hij had zijn nagels hard in de huid gedrukt.

'Het spijt me dat ik u heb gebeten.' Zijn stem klonk merkwaardig hees, net dorre bladeren. 'Hoelang... Hoelang was ik zo?'

'Ongeveer vijf minuten, geloof ik,' antwoordde Owen, nog steeds met zijn blik op zijn hand gericht. 'Zo lang duurde het voordat ik hier was. En maak je geen zorgen, het zijn maar oppervlakkige wondjes. Maar het is al de tweede keer deze maand dat je me hebt gebeten. Je bent toch wel ingeënt tegen hondsdolheid, hè?'

Dax glimlachte flauwtjes.

'Dat is beter,' zei Owen. Met een zucht keek hij naar Dax. 'Wat is er daarbinnen met je gebeurd?'

Hoofdschuddend sloeg Dax zijn armen om zijn knieën. Hij vond het heel afschuwelijk dat hij Owen moest vertellen dat hij zo verschrikkelijk bang was geweest.

'Dax,' zei Owen, 'je was helemaal in paniek. Hoe kwam dat?'

Dax had het er moeilijk mee. Hij wilde dolgraag het respect van Owen verdienen, en na de vakantie – nee, nog ín de vakantie – had hij zich alleen maar laten kennen als een zenuwachtig wrak.

'Nou, laat me eens raden... Je kreeg een flashback. Je moest denken aan de vossenjacht. Heb ik gelijk of niet?'

Dax knikte gelaten. Hij had kunnen weten dat Owen het zou raden.

'Had ik daar maar aan gedacht...' mompelde Owen. 'Stom van me. Dax, heel veel mensen raken in zo'n scanner in paniek. Ze hadden je iets moeten geven om het hele gedoe te kunnen stopzetten als je bang werd.'

'Wat dan?'

'Nou, er is een snoer met een knopje in de scanner. Dat

moet je in je hand houden. Daarmee kun je contact opnemen met de mensen achter de glaswand. Meestal blijf je al rustig bij de gedachte dat je die mogelijkheid hebt. In hun opwinding hebben ze zeker vergeten jou dat knopje te geven. Ik zal daarover een hartig woordje met ze spreken,' voegde Owen er grimmig aan toe.

'O...' zei Dax. Verder wist hij niets te zeggen.

Owen keek hem peinzend aan. 'Ik weet ook van de hond, Dax,' zei hij.

Blozend van schaamte keek Dax op.

'Spook krijgt een hele maand geen zakgeld,' ging Owen verder. 'Het spijt me, Dax, maar hij heeft het al zijn maten natuurlijk verteld en zo kreeg ik het te horen. Een van zijn vrienden, Darren Tyler, vond het een nare streek. Hij wist niets van de jachtpartij, maar hij kon wel aan je zien dat het heel verkeerd viel. Hij heeft Spook flink de les gelezen en daarna is hij het mij komen vertellen. Blijkbaar had Spook een van zijn jachtvriendjes zo gek gekregen dat hij mee mocht en het lukte hem ook om een van de honden te mogen uitlaten. We hebben contact opgenomen met de jagers en het zal niet meer gebeuren.'

Dax voelde zich verschrikkelijk moe.

Owen stond op en trok hem overeind. 'Je moet een poosje naar bed. Neem een bad, ga slapen en kom dan eten. Binnenkort zullen we het over je paniekaanvallen hebben, maar ik wil nu vast zeggen dat je je daarvoor niet hoeft te schamen, Dax. Heel veel mensen krijgen daar ooit mee te maken. Na wat jou is overkomen, zou het me hebben verbaasd als je er geen last van zou hebben gehad. We hebben het er nog over tijdens de les Ontwikkeling.'

'En de scan dan?' vroeg Dax terwijl hij ongemakkelijk omkeek naar de deur.

'Dat kan een andere keer ook. Wanneer je het beter aankunt.'

Ze liepen de trap op, weg uit de kelder van Ontwikkeling. Vervolgens stuurde Owen Dax naar zijn kamer.

Toen Dax bij de deur van de slaapzalen kwam, stapte Catherine naar buiten. Ze zag er leuk uit in het schooluniform.

'Staat het me goed, Dax?' vroeg ze lachend. Ze draaide even rond, met haar handen omhoog als een ballerina.

Dax knikte. Ze was net een bundel energie.

'O wauw, ik vind het zo fantástisch om hier te zijn!' riep ze uit. Ze pakte zijn handen en keek hem stralend aan met haar fonkelende groene ogen. 'Je moet me precies vertellen hoe het is om een vos te zijn. Dat vind ik toch zo fantástisch. Verander eens? Nu? Ik ben dol op dieren!'

Dax was zo moe dat hij nauwelijks meer een woord kon uitbrengen. 'Sorry,' zei hij, 'ik laat het je een andere keer wel zien, maar nu wil ik alleen maar slapen.'

Meteen keek Catherine geschrokken en ze kneep in zijn handen. 'O wauw, Dax, wat spijt me dat. Ik ben toch ook zo'n stomkop... Ik denk altijd dat anderen net zoveel energie hebben als ik. Mijn laatste moeder zei dat ik op sintelmsvuur leek. Ga maar gauw slapen. Ik spreek je nog!'

Sloffend liep Dax naar boven. Hij liet een bad vollopen, maar voelde zich zo moe dat hij uiteindelijk alleen zijn schoenen uitschopte en met kleren aan in bed stapte. Na een paar tellen viel hij al in slaap.

11

Hij was de laatste tijd vaker een vos dan een jongen. Het was makkelijker om in een vos te veranderen dan om een jongen te blijven. Hij wist niet waarom dat was, maar hij vermoedde wel dat Paulina Sartre misschien gelijk had. Hij voelde zich verloren en kwetsbaar. Hij had Gideon nog geen vijf minuten alleen kunnen spreken, want Catherine of Luke waren altijd bij hem. De drieling had een roerend weerzien gehad met Gideons vader, in Polgammon, waar ze hadden gegeten in het grote hotel en urenlang met elkaar hadden gepraat. Aan het begin van de avond had Michael Reader al voorgesteld dat Catherine voorgoed in Engeland zou blijven, en Catherine kondigde aan dat ze haar achternaam in Reader wilde veranderen. Dat had Gideon Dax allemaal verteld toen ze de volgende dag naast elkaar hun tanden stonden te poetsen.

'Hij weet niet hoe hij het heeft,' zei Gideon door het schuim op zijn mond heen. Hij keek Dax via de spiegel aan, spuugde toen een beetje blauw schuim uit en gorgelde met een slok warm water. 'Ik denk dad hij aldijd al een dodder wilde hebben.'

Daar moest Dax even over nadenken voordat hij het begreep. Toen keek hij zijn vriend hoofdschuddend aan. 'Vind jij het allemaal niet heel vreemd, Gideon?'

Gideon haalde zijn schouders op. 'Hoezo? Nou ja, het is natuurlijk merkwaardig, maar de laatste tijd gebeuren er wel meer rare dingen. Ik heb een zus en een broer. Ik ken ze nog niet echt, maar ook weer wel. Het lijkt wel... of het zo moest zijn. Drie van de een. Een van de drie.'

Dax trok een grimas. 'Nu klink je net als een medium.'

Gideon vertrok zijn gezicht en dat was geruststellend. 'Wel een beetje, hè?'

Tersluiks keek Dax naar de deur van de badkamer. Straks zou Luke of Barry binnenkomen en dan zou dit gesprekje onder vier ogen voorbij zijn. 'Vind je het niet vervelend om je vader te moeten delen met een zusje? En met een broer?'

'Luke kan hij niet adopteren. Luke is al geadopteerd. Maar ik denk wel dat hij zal komen logeren.'

'Maar... het delen...'

Weer haalde Gideon zijn schouders op. 'Dingen veranderen,' zei hij. Hij vroeg Dax niet wat hij ervan vond. Hij mikte alleen maar zijn tandenborstel in het glas en liep weg.

Na de lessen van die dag trok Owen met een groepje leerlingen het bos in om hun van alles te leren. Dax, Lisa en Mia kwamen bij elkaar in het poorthuis. Voor het eerst leek het erop dat Gideon niet zou meegaan. Met hangende schouders leunde Dax tegen de stevige stenen vensterbank en keek door het raam van het poorthuis naar het slingerende pad over de kliffen. Er was geen spoor van zijn beste vriend te bekennen. En dat terwijl Gideon áltijd meeging op deze excursies!

Owen keek op zijn horloge. Het was tijd om te gaan.

'Is de drieling 'm gesmeerd?' vroeg Lisa. Ze keek Dax onderzoekend aan. 'Hou daarmee op, Dax!'

Plotseling drong het tot Dax door dat hij alweer in een vos was veranderd. Gauw veranderde hij zich terug in een jongen, een jongen met blozende wangen van schaamte. Paulina Sartre had groot gelijk gehad. Zodra er iets gebeurde wat hij als bedreigend beschouwde, zoals die opmerking van Lisa over de drieling, veranderde hij in een vos. Het was net zoiets als een tic hebben.

'Hé, daar komen ze aan,' zei Mia, die langs Dax heen keek.

Inderdaad, daar kwam de drieling aan. Catherine huppelde en sprong als een klimgeit. Haar glanzende haar fladderde in de wind.

Dax klemde zijn kaken op elkaar. De drieling. Gideon leek nu alleen nog maar in drievoud te opereren.

'Sorry dat we jullie hebben laten wachten!' riep Catherine lachend toen ze samen met een vlaag zeewind naar binnen kwam. 'Hoi, Dax!' zei ze stralend. 'Toe dan, doe het eens? Voor mij?'

Met een zucht schudde Dax zijn hoofd. 'Nee, dat vindt Lisa niet goed,' reageerde hij bits. 'En trouwens, je krijgt het heus nog weleens te zien.'

Catherine zeurde al de hele week aan zijn hoofd. Het was vreemd dat ze er nooit bij was wanneer hij in een vos veranderde, want het overkwam hem voortdurend.

Catherine bleef maar lachen, en toen Gideon en Luke ook naar binnen stapten, huppelde ze door de kamer en haakte bij Dax in. 'O wauw, loop dan maar met me naar het bos en als Lisa niet kijkt, kun je je in een vos veranderen.' Ze lachte koket naar Lisa, die met tot spleetjes geknepen ogen naar Dax keek.

'Kom op, straks gaat het schemeren,' zei Owen.

Iedereen liep het poorthuis uit en het pad op naar het bos. Catherine liep stevig gearmd met Dax en babbelde honderduit over school, de leraren, de andere leerlingen en hoe het ging in de les Ontwikkeling.

'Ze zeggen dat ik vooruitga,' zei ze ademloos. 'Je weet niet half hoe fantástisch dat is. Ik kan al een schrift laten zweven. Echt waar!'

Dax moest lachen. Uit zijn zak haalde hij het schriftje waarin hij altijd opschreef wat Owen over het leven in het bos vertelde en gaf dat haar. 'Nou, laat maar eens zien!'

Catherine liet Dax los en bleef staan terwijl ze het schriftje woog op haar hand. Toen beet ze op haar onderlip en zei verlegen: 'Ik weet niet of ik het hier ook kan...'

Meteen voelde Dax zich schuldig. Hij wist als geen ander hoe moeilijk het in het begin kon zijn om je gave te gebruiken. 'Het geeft niet als het niet lukt,' zei hij.

Maar Catherine was al bezig. Het schriftje kwam een beetje omhoog. Het bleef een paar centimeter boven Catherines hand zweven. Toen viel het terug. Catherine trok een pruillip. 'Meer kan ik niet,' zei ze toonloos.

'Nou, maar dit is toch al geweldig?' zei Dax bemoedigend. 'Je moet gewoon veel oefenen.'

'Ik word nooit zo goed als jullie allemaal,' verzuchtte ze. Toen werd ze ineens weer vrolijk. Die stralende lach stond weer op haar gezicht en ze rende weg om haar broers in te halen. Ze sprong op hen af en mepte opgewekt op hun schouders.

Het viel Dax op dat toen ze gearmd met hen verder liep, ze meer naar Gideon toe boog dan naar Luke. Ze was zeker het meest op Gideon gesteld.

'We gaan een vuur maken,' zei Owen zodra ze op een open plek waren gekomen. 'Ik wil takken hebben, heel veel takken.'

'Maar we hebben al eens een vuur gemaakt,' protesteerde Gideon. 'Al zo vaak!'

Owen knikte goedkeurend. 'Oké, vertellen jullie me dan maar wat we nodig hebben. Luke?'

'Eh... Nou, geen vochtig hout. Dan gaat het maar roken.'

'Daar heb je gelijk in,' zei Owen. 'Groene twijgen roken ook. Net als oude schors. Je moet dus twijgjes en takjes hebben die droog zijn. Zo droog als maar kan. Vervolgens moet je de schors eraf halen. Dax, deel jij de messen even uit? En Catherine, kom eerst even kijken voordat je zelf aan de slag gaat. Luke, heb je weleens zo'n mes gebruikt?'

Dax deelde de messen uit. Ze hadden een kort, stevig lemmet dat aan één kant licht gebogen was. Het lemmet zat met touw aan het heft bevestigd en kon in een leren schede worden gestopt. Ze hadden allemaal met deze messen leren omgaan en zorgden er altijd voor dat ze van zichzelf af sneden. Ook legden ze het hout nooit op hun bovenbeen, want als je dan uitschoot, kon je zomaar een slagader raken. Na al die lessen waren Dax, Gideon, Lisa en Mia expert in het veilig bewerken van twijgen, wortels en takken in de vorm die ze wilden.

Owen deed Catherine voor hoe ze het mes moest vasthouden, en vervolgens hoe ze de bast van een takje moest krijgen.

Eerst was ze behoorlijk onhandig en legde de tak steeds op haar knie.

'Nee,' zei Owen streng en hij pakte haar hand toen ze het mes weer neerwaarts over de tak wilde laten gaan. 'Als je uitschiet, kun je je slagader doorsnijden en dan ben je al doodgebloed voordat we je naar school hebben kunnen dragen.'

Met grote ogen keek Catherine naar hem op. 'O wauw, echt waar?'

Owen moest lachen om de verschrikte uitdrukking op haar gezicht. 'Echt waar,' bevestigde hij. 'Gelukkig hebben we de beste heler ter wereld bij ons.'

'Ze is fantástisch, hè?' merkte Catherine vol bewondering op, waarna ze even in Mia's hand kneep.

Mia keek verlegen en schudde Catherines hand van zich af.

'Kijk maar goed, dan doe ik het nog een keer voor,' zei Owen.

Na een poosje kreeg Catherine er handigheid in en kon

Owen haar alleen laten. Toen slaakte ze opeens een kreet. Iedereen sprong geschrokken op. Ze waren allemaal zo geconcentreerd bezig geweest dat ze helemaal niet meer op Catherine hadden gelet. Dax rook bloed.

Catherine hield haar linkeronderarm stevig vast en zag bleek. Tussen de duim en haar wijsvinger van haar rechterhand zat bloed. Met gesloten ogen zat ze geknield tussen haar stapeltje takjes. Toen lachte ze ineens en zei: 'Oké, einde voorstelling!' Vervolgens trok ze haar hand weg. Er zat een veeg bloed op haar arm, maar er was geen wond te zien.

Met een frons keek Owen haar aan. 'Wat is er gebeurd, Catherine?'

Ze glimlachte, en met een blik die Dax maar merkwaardig vond, zei ze afwezig: 'O, een beetje helen, meneer Hind.'

Owen pakte haar arm bij de pols beet en keek naar de bebloede huid, waar geen wond op te zien was. 'Je hebt jezelf geheeld?'

Iedereen keek naar Mia, die verlegen haar hoofd schudde. 'Ik heb het niet gedaan,' zei ze.

Net als toeschouwers bij een tenniswedstrijd draaiden alle hoofden zich weer in Catherines richting. Er waren 22 helers op school, de een wat beter dan de ander. Mia stak met kop en schouders boven iedereen uit. Maar geen van de helers, ook Mia niet, kon zichzelf helen.

'Fantástisch, hè?' riep Catherine lachend uit. Haar ogen fonkelden.

'Ze is goed, hè?' zei Gideon tegen Dax toen ze terugliepen.

Dax knikte.

'Ik bedoel, het is heel bijzonder als je jezelf kunt helen,' ging Gideon verder. 'Net als iemand uit een stripverhaal of zo. Als er een bom ontploft en ze in stukken wordt gere-

III

ten, komen de stukjes misschien weer bij elkaar en komt ze weer tot leven!'

Dax lachte. Het was fijn om weer naar Gideons onzinnige verhalen te luisteren.

'Jemig!' Gideon schudde zijn hoofd en keek toen achterom naar Catherine, die tussen Mia en Lisa in huppelde en haar best deed hen over te halen een wandellied te zingen. Mia zong braaf mee, maar Lisa keek vies.

'En dan heb je ook nog Luke,' zei Gideon peinzend. 'Die boekt maar geen vooruitgang. Raar, hè? Misschien zit het hem niet in het bloed of zo.'

'Nou, daar kom je vast gauw genoeg achter,' zei Dax. 'Morgen doen ze weer een onderzoek en deze keer prikken ze bloed.'

'Ja, ik heb de mededeling op het bord in de gang gezien. Getver, ik hou niet van naalden. Waar hebben ze ons bloed eigenlijk voor nodig? Ze weten toch al wat onze bloedgroep is... Dat staat op de formulieren met medische gegevens.'

'Misschien willen ze ons DNA onderzoeken,' zei Luke, die hen had ingehaald. 'Misschien zijn jullie gedeeltelijk marsmannetjes. Of misschien willen ze jullie klonen.'

'Nou, dan moeten ze maar niet veel bloed van mij nemen,' zei Gideon kreunend. 'Ik heb mijn bloed zelf nodig! Ik voel me alsof er al een hele liter is getapt.'

Inderdaad, Gideon zag er moe uit, vond Dax. Ze zagen er allemaal moe uit. Het leek alsof Mia al half sliep, en zelfs Owen geeuwde. Waarschijnlijk lag het aan de zeelucht. Alleen Catherine stuiterde rond als een tennisbal. Onder het lopen maakte ze een ingewikkeld knotje in Lisa's haar. Lisa zag er gelaten uit en liet haar maar begaan.

'Is jullie zusje nooit eens rustig?' vroeg Dax aan de twee broers.

'Blijkbaar niet,' antwoordde Gideon geeuwend.

Luke gaapte ook.

'Volgens mij is ze een menselijk perpetuum mobile,' ging Gideon verder. 'Houd haar maar niet tegen, ze is een natuurkracht.'

12

'Dax, nou doe je het weer...'

'O, sorry,' zei Dax, maar het klonk eerder als blaffen. Beschaamd veranderde hij zich terug.

'Het wordt een beetje zorgelijk,' zei Owen. Hij leunde achterover in lokaal 10 van Ontwikkeling. 'Ik begin over de jachtpartij, en floep, je wordt een vos. Dax, ik vind dat we over het incident moeten praten, misschien houd je dan op met voortdurend veranderen.'

Dax keek naar de grond. Hij voelde zich koud vanbinnen, alsof er een ijsklont in zijn maag zat. Hij wilde niet dat die ontdooide. Hij wilde dat de herinnering voor eeuwig bevroren zou blijven en hij er nooit meer aan zou hoeven denken, laat staan erover praten. En dan vooral niet met Owen. Bij de gedachte alleen al kromp hij in elkaar. Misschien omdat hij wist hoe bezorgd Owen was. Dat was te veel.

Vanuit zijn ooghoeken zag Dax een rusteloze beweging. Vastberaden zei hij: 'Het zou fijn zijn als er geen publiek bij was.'

Owen keek naar de achterwand van het lokaal. Net zoals alle lokalen van het cluster Ontwikkeling bevond nummer 10 zich diep onder de grond, in een netwerk van gangen. Er lag dik tapijt op de grond, de verlichting was zacht, de muren waren rustgevend groen, en één wand was van glas. Het leek een beetje op een balletstudio.

Geholpen door zijn vosseninstinct was Dax er algauw

achter gekomen dat de glaswand een spiegel was, waarachter iemand kon staan en alles zien wat er in de ruimte gebeurde. Bijna niemand zou weten dat daar iemand was.

Met een zucht streek Owen door zijn donkere, warrige haar. 'Daar kan ik niets aan doen,' zei hij zacht. 'Meestal zit meneer Eades aan deze kant van het glas wanneer we hier zijn. Deze keer heb ik hem gevraagd of hij zijn aantekeningen alsjeblieft erachter wil maken.'

'Hij is niet alleen, hè?' vroeg Dax, ook heel zacht. Hij keek Owen strak aan, terwijl hij zich afvroeg of hij zich zou ontpoppen als vriend of als leraar.

Owen keek zonder iets te zeggen om. Toen knikte hij vrijwel onmerkbaar. Vervolgens verborg hij zijn hoofd in zijn handen, waarbij zijn haar voorovervielen. Het leek een gebaar van ergernis, maar toen fluisterde hij heel, heel zacht: 'Doe maar net alsof, Dax. Straks doen we alles echt.'

'Het was echt verschrikkelijk,' begon Dax toonloos. 'Heel, heel erg. Ik dacht dat ik doodging... Maar toen redde u me en ik denk dat ik er nu wel overheen ben. Is het zo goed genoeg? Want ik heb schoon genoeg van al dat geklets erover. Het gaat prima met me, niks aan de hand!' Met stemverheffing voegde hij eraan toe: 'Ik wil er niet meer aan denken, ik wil geen suffe zweverige praatjes meer, ik wil het kind in me niet vrijlaten en ik wil de angst niet omarmen. Ik ben bijna opgevreten door een meute woeste jachthonden. En toen ben ik ontsnapt. Allemaal doodeng. En nu is het voorbij. Mag ik nu weg?'

'Nou, als je iedereens tijd gaat verknoeien, dan kun je inderdaad maar beter weggaan,' zei Owen bits. 'Maar je zult toch echt nog een keer die scanner in moeten, dus hoop ik voor jou dat je je echt eroverheen hebt gezet. Ga maar. Ga maar garnalen vangen of zo.' Met een wegwuivend gebaar draaide hij zich om en ging aantekeningen maken aan de tafel.

Daar schrok Dax van, want heel even dacht hij dat Owen kwaad was omdat hij zo tekeer was gegaan. Maar toen hij bij de deur nog even omkeek, zag hij dat Owen op zijn lip beet, alsof hij eigenlijk moest lachen.

Het was een heerlijk zonnige lentedag en de zeewind speelde over zijn huid toen hij naar het zwembad liep. Het was nog vroeg en er was verder niemand. Dax ging op een rotsblok zitten en keek naar de waterdiertjes: bijna doorzichtige garnalen en gespikkelde visjes die onder water een soort ballet leken op te voeren.

'Mocht je eerder weg?'

Dax schrok niet. Al twee minuten was hij zich ervan bewust dat er iemand aan kwam en de laatste halve minuut had hij geweten dat het Luke was. Luke, wiens geur erg op die van Gideon leek, maar die Gideon niet was. Terwijl hij zijn ogen tegen de zon beschermde, zei hij: 'Hoi Luke. Ja, ik mocht eerder weg omdat ik er toch niks van bakte.'

'Ja, dat zal wel,' reageerde Luke.

Meteen voelde Dax zich schuldig. Luke moest nog steeds naar Ontwikkeling, hoewel het overduidelijk was dat er niets te ontwikkelen viel.

'Hoe ging het vandaag?' vroeg Dax. Hij liet een steentje in het water vallen en keek naar de garnalen en visjes, die gauw wegschoten.

'Net als altijd,' antwoordde Luke met een diepe zucht. Hij ging naast Dax zitten en liet kameraadschappelijk ook een steentje in het water vallen. 'Ze stellen allemaal stomme vragen en ik doe mijn best geen stomme antwoorden te geven. Ze meten alles aan me op, ze zoeken naar een spoor van een supergave en, o jee, ze kunnen maar niks vinden. Maar kijk eens...' Hij draaide zich naar Dax om en keek heel geconcentreerd. 'Kijk, ik kan wel íéts!'

Dax staarde hem aan en zag dat Lukes oren een heel, heel klein beetje bewogen, nauwelijks zichtbaar.

Dax moest lachen. Hij sloeg Luke op zijn schouder en zei: 'Soms lijk je heel erg op Gideon. Het bloed kruipt waar het niet gaan kan.'

'Heel anders dan Catherine, hè?' zei Luke onverwachts.

Dax wist niet goed wat Luke daarmee bedoelde.

Ondertussen keek Luke in het water en krabde afwezig met zijn nagels over de rotsblokken. Hij leek te wachten op een reactie van Dax.

'Nou,' zei Dax aarzelend, 'ze is uniek, dat staat als een paal boven water.'

'Volgens mij...' Luke kneep zijn ogen tot spleetjes tegen de laagstaande zon en hield op met krabben. 'Volgens mij is ze tot grootse dingen in staat.'

Dax wist niet wat hij daarvan moest denken. Alle leerlingen waren tot grootse dingen in staat. Dat Catherine ook over een gave beschikte, was niets bijzonders. 'Wat bedoel je?' vroeg hij.

Luke keek weer in het water, kneep zijn lippen opeen en zuchtte. 'Kweenie,' zei hij. 'Ze... Begrijp me niet verkeerd, ze is mijn zusje en zo... Maar...'

'Het was fijn toen het alleen Gideon en jij waren, hè?' zei Dax. Hij hoorde zelf hoe vreemd dat uit zijn mond klonk.

Luke knikte blozend.

Zie je wel, dacht Dax. Luke is gewoon ook jaloers, en hij weet niet goed wat hij daarmee aan moet. Het was natuurlijk ook niet fijn dat Catherine veel meer aandacht besteedde aan haar begaafde broer dan aan hem.

'Jawel, maar weet je, Catherine is heel bijzonder. Ik ben blij dat we allemaal bij elkaar zijn gebracht,' zei Luke verdedigend. 'Ik zou er alleen graag meer bij willen horen.'

'Maak je niet druk,' zei Dax. 'Het is fijn dat je er bent. Jij helpt ons met beide benen op de grond te blijven staan.' Hij wist dat hij onzin uitkraamde om Luke een beetje te troosten.

Luke keek hem met een schuin hoofd aan. 'Hoe komt het dat wanneer je in een vos verandert, je kleren niet in een hoopje op de grond liggen?' vroeg hij.

Dax grinnikte. Die vraag werd hem vaker gesteld.

'Ik bedoel,' ging Luke verder, 'in films en zo, zoals in *The Incredible...*'

'*Hulk*,' viel Dax hem in de rede. 'Ja, als die verandert, loopt hij in zijn blootje, afgezien van die broek. Jemig, ik ben blij dat dat niet met mij gebeurt. Ik heb het er ooit met Owen over gehad en toen kwamen we tot een conclusie.'

Luke keek hem geïnteresseerd aan en knikte bemoedigend.

'Nou,' ging Dax verder, 'als je over straat loopt met het beeld van hoe je eruitziet en hoe andere mensen jou zien, dan denk je niet aan jezelf als een naakte jongen. Je voegt er kleren aan toe, een horloge, schoenen, en in jouw geval een bril. Je hebt een beeld van jezelf zoals je er normaal gesproken uitziet, met heel gewone kleren aan. Zo zie je jezelf.'

Luke knikte en schoof peinzend zijn bril hoger op zijn neus.

'Dus wanneer ik verander, verander ik in een beeld van de vos. En wanneer ik in een jongen verander, verander ik in het beeld dat ik van die jongen heb,' legde Dax uit. 'Wat je ziet, is dus een soort projectie van mijn ziel, of hoe je het ook wilt noemen. Tenminste, dat is wat we hebben bedacht. Als ik kleren draag wanneer ik in een vos verander, draag ik die ook weer als ik terug verander in een jongen. Maar als ik iets in mijn handen heb, laat ik dat altijd vallen wanneer ik in een vos verander. Dat blijft dan liggen waar ik op dat moment was. Maar... als ik een rugzak om heb, hoort dat bij het beeld dat ik van mezelf heb en die verandert dus mee. Gek, hè?'

Luke knikte. 'Heel gek,' zei hij. 'Maar ook heel cool. Ben je nooit bang?'

'Eerst wel,' antwoordde Dax. 'Maar ik vond het meteen ook heel tof. En nu voelt het alsof het zo hoort.'

Luke keek weer in het water. 'Alsof het zo hoort...' herhaalde hij.

Dax stond op. 'Kom op, het is tijd voor het eten. Als we vroeg zijn, kunnen we de lekkerste hapjes nemen.'

Ze liepen de eetzaal in op het moment dat de keukenmedewerkers schalen met nasi, gebakken ham en kippenpasteitjes uitstalden. Op de tafels stonden al glazen en karaffen vol water.

'Wat is dat nou?' vroeg Dax. Anders schonk iedereen water voor zichzelf in bij de kraan in de hoek van de balie, waar een diepe vierkante gootsteen van porselein was. Op een plank daarnaast stonden gewoonlijk pakken vruchtensap en er waren ook kannen met thee, koffie en melk. Het viel Dax op dat die waren verdwenen.

'Nieuwe regels,' zei mevrouw Polruth terwijl ze de vorken in een bak legde. De vorken waren nog warm omdat ze net uit de afwasmachine waren gekomen. 'Een poosje is er alleen water. Geen sap, geen thee, geen koffie, en al helemaal geen prik.'

'Hoezo?' vroeg Luke verwonderd.

Mevrouw Polruth trok haar wenkbrauwen op. 'Als je het mij vraagt, is het allemaal onzin,' zei ze. 'En waar moeten we dát allemaal laten?' Ze wees door het doorgeefluik naar een enorme berg gigantische waterflessen, die de halve keuken in beslag nam. 'Mineraalwater,' zei ze spottend. 'Alsof er iets mis is met kraanwater... Ze zijn met jullie voedsel aan het rommelen, om erachter te komen waarom jullie allemaal getikt zijn.' Ze lachte moederlijk. 'Jullie mogen geen opwekkende middelen meer. Zelfs geen vruchtensap. Nou vraag ik je!' Zwierig mikte ze de laatste vorken in de bak en beende vervolgens terug de keuken in.

'Hè, geen prik? Helemaal niet?' Catherine keek vreselijk teleurgesteld toen ze dat hoorde. 'Ik ben gek op prik!' Verslagen schonk ze een glas water in.

'Ik zal mijn kopje thee missen,' zei Mia terwijl ze een hap rijst nam. 'Zou het lang duren?'

'Het is te gek voor woorden,' klaagde Gideon met zijn mond vol kip en ham. 'Dit kunnen ze niet maken!'

'Ze staan volledig in hun recht,' reageerde Lisa. 'Onze vaders hebben al die formulieren getekend waarin ze toestemming gaven voor van alles en nog wat, afgezien van ons vergiftigen of onze ledematen er afhakken. Volgens mij zit er wel iets in. Je bent wat je eet. Of drinkt. Misschien zijn er al verschillen te zien als ze weer een MRI-scan maken.'

'Hebben ze nog iets ontdekt?' vroeg Gideon.

'Nou, in jouw geval niets,' zei Lisa. Ze prikte met haar vork in een worteltje en sleurde het door de jus. 'Maar je hebt wel een hersenstam, zodat je de meer normale lichaamsfuncties kunt uitvoeren.' Ineens vloog het worteltje van haar vork. De jus spatte in het rond. 'Hou op!' riep ze uit en ze sprong kwaad op. 'Als je dat nog eens doet, wrijf ik je eten in je haar!'

Maar Gideon keek haar niet-begrijpend aan. 'Ik deed niks!' zei hij. Verwonderd keek hij Catherine aan, die zijn hand had gepakt en zelfgenoegzaam lachte.

'Als je een van ons te grazen neemt, krijg je met alle drie te maken,' zei Catherine.

Lisa deed haar mond open om iets terug te zeggen, maar sloot die toen weer en liep kwaad weg terwijl ze jus van haar witte T-shirt veegde.

Er viel een ongemakkelijke stilte. Toen barstte Gideon in lachen uit. 'Allemachtig,' zei hij, 'ik heb nog nooit een lijfwacht gehad. Je greep snel in, zeg!'

Catherine giechelde en zelfs Mia moest moeite doen om niet te lachen.

'Nou ja, Lisa ziet er altijd fantástisch uit, wat ze ook aanheeft,' zei Catherine. Ze liet Gideons hand los en liet toen drie erwtjes boven tafel zweven. 'Ook met jus op haar kleren.'

Dax moest lachen. Dit meisje had lef. Iedereen giechelde een beetje schuldig. Deze keer had Lisa niet echt lik op stuk verdiend, maar er waren keren genoeg geweest dat ze dat wel had verdiend en er niets was gebeurd. Dax ging verder met eten. Er zat hem iets dwars en niet alleen dat het zo grappig was om Lisa onder de spetters jus te zien zitten. Het was Luke. Luke was gewoon blijven eten en had geen moment gelachen.

Een uur na het eten waren alle 111 leerlingen weer in de eetzaal. Deze keer moesten ze bloed laten afnemen door drie medewerkers van de ziekenboeg. De kantinejuffrouwen hadden de stoelen in een rij gezet, zodat je op je beurt kon zitten wachten. Op de balie stonden schalen koekjes en karaffen water, voor het geval iemand zich flauw zou voelen en het bloedsuikerniveau moest worden opgekrikt. Groepjes leerlingen bekeken de plek waar ze geprikt waren, waarvoor ze het watje en de pleister moesten tillen.

Dax, Gideon, Barry en Luke waren bijna aan de beurt. Gideon zag erg bleek. 'Ik hou niet van prikken,' zei hij voor de honderdste keer.

'Ja, dat heb je al gezegd,' reageerde Barry. 'Je bent een watje, Gideon!'

'Hoe veel bloed nemen ze af?' vroeg het watje, terwijl hij heel hard zijn best deed niet te kijken naar de plek waar het gebeurde.

'O, een litertje of wat,' zei Barry met een fluitend geluidje. 'Het gaat vast allemaal goed, hoor Gideon. Er g-g-gebeurt j-je n-n-nikzzz...' Op dat moment liet Barry zichzelf verdwijnen. Een paar tellen zweefde er nog een afschuwelijke grimas in de lucht en toen was ook die weg.

Gideon trapte hard op Barry's teen.

Barry was natuurlijk niet gauw weggelopen na zijn verdwijntruc, omdat hij nu eenmaal Barry was. 'Au!' riep hij uit. Hij werd weer zichtbaar en hinkte kwaad rond. 'Is dat mijn dank voor mijn geruststellende woorden?'

'Een litertje of wat zal niet nodig zijn,' hoorden ze de stem van de verpleegster. 'Twee theelepeltjes is voldoende. Maar je kunt gaan zitten als je dat wilt, Gideon. Er is al eerder iemand flauwgevallen, maar omdat ze op een stoel zat, heeft ze zich niet bezeerd.'

De kleur op Gideons gezicht veranderde van wit in rood, en toen weer in wit. 'Ik ga wel zitten,' zei hij beverig. 'Ik slaap toch al half van de shock.'

'Je bent me er eentje, Gideon. Hoe kun je nu in shock zijn als je nog niet aan de beurt bent geweest?' zei Dax.

'Hij is al aan de beurt geweest,' zei de verpleegster.

Ontzet keek Gideon om zich heen. 'Wat? Nu al?'

'Het is al gebeurd,' zei ze. 'Ik heb bloed afgenomen toen Dax zo vriendelijk was om voor afleiding te zorgen.'

'Ik dacht dat u alleen maar even met zo'n nat watje over mijn arm veegde om die te ontsmetten,' mompelde Gideon. Hij keek naar de binnenkant van zijn elleboog, waar de verpleegster net een watje met een pleister plakte over het rode stipje. Met een flauwe glimlach keek hij naar haar op en zakte toen toch nog in elkaar.

'O jee, weer iemand die is flauwgevallen! Catherine, kun je die koekjes even brengen?' vroeg de verpleegster.

Catherine was een van de eersten die bloed had laten prikken en zij had het op zich genomen koekjes uit te delen aan de leerlingen die ook al geprikt waren. Ze liep ijverig rond met de koekjes en kneep bemoedigend in iedereens hand, ook van degenen die bloed laten afnemen helemaal niet erg vonden.

Meteen rende ze bezorgd naar Gideon toe, die met zijn hoofd tussen zijn knieën op de stoel zat.

'Het gaat alweer,' mompelde Gideon. 'Ik wil geen koekje. Ik... ik wil alleen maar slapen.' Onzeker ging hij weer rechtop zitten. Hij zag er inderdaad uitgeput uit. Toen Catherine haar armen om hem heen sloeg, kon hij alleen maar tegen haar aan hangen met een glazige blik in zijn ogen.

Zachtjes duwde de verpleegster Catherine weg en zette Gideon goed rechtop. 'Kom, Gideon, wakker blijven. Zodra Dax, Barry en Luke ook zijn geprikt, brengen ze je naar jullie kamer.'

Zonder verder gedoe stonden de drie jongens bloed af, met hun blik op Gideon gericht. Daarna moesten ze hem overeind helpen.

Terwijl ze de eetzaal uit liepen, hoorden ze de verpleegster nog roepen: 'O, er is weer iemand flauwgevallen! Wie komt me even helpen met Spook Williams. Hij is zo lang, dat red ik alleen niet.'

'Je bent niet de enige jongen die is flauwgevallen, Gideon,' zei Dax lachend. 'Spook is daarnet ook onderuitgegaan!'

13

De volgende dag was het zaterdag, dus klonk er geen bel om op te staan en te gaan ontbijten voordat de lessen begonnen. Op zaterdag bleef het ontbijt staan tot halfelf, en vanaf acht uur konden de leerlingen in de eetzaal terecht. Dit weekend zouden Dax en Gideon een pasje krijgen waarmee ze naar Polgammon mochten. Om het weekend mocht de helft van de leerlingen naar het dorp en deze keer waren zij aan de beurt. Dax verheugde zich erop, vooral omdat Luke en Catherine geen pasjes hadden en dus pas volgend weekend naar het dorp konden gaan. Even vroeg Dax zich af of Owen of mevrouw Sartre dit expres zo had geregeld. Allebei wisten ze immers dat Dax het er moeilijk mee had dat hij Gideon nu moest delen.

Om negen uur was Dax klaar om te gaan, maar toen hij uit de badkamer kwam, zag hij dat Gideon en Luke nog in bed lagen. Luke lag te lezen, op zijn buik en met zijn bril behoorlijk scheef.

'Kom op, Gideon!' Dax schopte tegen Gideons bed, en van onder het dekbed klonk een kreunend geluidje. 'Hé, Gideon! Opstaan! We gaan toch naar Polgammon?'

Gideon draaide zich om en knipperde met zijn ogen. Toen hij eindelijk een woord kon uitbrengen, klonk het heel slaperig. 'Kweenie, hoor, Dax. Ik wil slapen. Nog heel eventjes. Ben... zo... moe...'

Ongeduldig ging Dax op zijn bed zitten en schudde aan

zijn schouder. 'Wat heb je toch? Je hebt net veertien uur geslapen! Weet je nog dat je naar bed ging nadat je bloed uit je was gezogen? Nou, toen was het nog geen zeven uur, en je bent nog maar net wakker.'

Weer kreunde Gideon. Toen ging hij zitten, sloeg zijn armen om zijn met het dekbed bedekte knieën en knipperde nog eens met zijn ogen.

'Gaat het?' vroeg Dax bezorgd.

Eerst schudde Gideon zijn hoofd, toen knikte hij en sperde zijn ogen wijd open.

'Je hebt toch geen koorts of zo?' vroeg Dax. Hij voelde aan Gideons voorhoofd. Dat voelde niet klam of te warm.

'Nee, ik ben niet ziek. Ik moet maar even gaan douchen, daar word ik vast wel wakker van,' zei Gideon met een zucht. Vermoeid stapte hij uit bed, alsof hij de vorige dag de marathon had gelopen. Na een poosje kwam hij teruggesjokt na het douchen, kleedde zich aan en begon er weer een beetje normaal uit te zien. Maar hij liep niet zo kwiek als anders.

Dax hoopte dat een stevig ontbijt hem goed zou doen, want per slot van rekening had Gideon al meer dan vijftien uur niets gegeten.

'Ik zie je daar wel,' zei Gideon terwijl hij zijn schoenen aantrok.

Barry was overal doorheen geslapen.

Op het schoolterrein was het stil en in de eetzaal zaten maar een stuk of tien leerlingen te ontbijten. Meestal waren er dat op een zaterdag om halftien wel drie keer zoveel. Dax begreep er niets van. 'Waar is iedereen?' mompelde hij voor zich uit.

Ondertussen schonk Gideon water in. Het meeste kwam op het tafellaken terecht omdat zijn hand erg trilde.

'Blijf jij maar zitten,' zei Dax en hij haalde een stevig ontbijt voor zijn vriend: een bord vol worstjes, plakjes tomaat, drie broodjes met boter en een kommetje corn-flakes met melk. Tot zijn opluchting at Gideon alles gretig op en na een paar minuten was hij weer de oude.

Lisa kwam erbij zitten, met cornflakes en fruit. Ze zei echter niets.

Ineens herinnerde Dax zich het voorval met Catherine, het worteltje en de jus. 'Ga je vandaag ook naar Polgammon?' vroeg hij op zijn hoede.

'Gaat die vreselijke drieling ook?' vroeg ze bits.

Gideon schudde zijn hoofd. 'Alleen ik,' zei hij. 'En het spijt me van gisteren.'

'Jij hoeft geen spijt te hebben,' reageerde ze zuur. 'Jij deed het toch niet?'

'Nee, maar... Nou ja, ik bedoel, ik heb wel gelachen. Het wás ook grappig, geef maar toe.'

'Nee.' Lisa pakte haar blad en ging aan een andere tafel zitten. 'Ik vond het niet grappig.'

Dax vertrok zijn gezicht. Kennelijk wilde Lisa liever kwaad blijven. Dat kon ze dagen volhouden. 'We zien haar straks wel in het dorp,' zei hij. 'Misschien is ze dan niet meer zo uit haar humeur.'

'Misschien,' zei Gideon met een zucht. 'Allemachtig, moet je naar iedereen kijken! Is er soms iemand dood?'

Dax keek om zich heen en zag wat Gideon bedoelde. De meeste leerlingen zaten met hun hand onder het hoofd te eten. Sommigen geeuwden, anderen keken afwezig voor zich uit. Er werd bijna niet gepraat. Af en toe klonk er een vermoeid uitgesproken: 'Mag ik het zout?' Levendiger gesprekken werden er niet gevoerd.

'Kom op,' zei Dax. 'We gaan hier weg.'

In Polgammon was het ook al stil. Ze liepen langs de souvenirwinkeltjes en deden een wedstrijdje wie het lelijkste prul kon vinden. Ze zagen maar drie andere leerlingen.

'Is er op jullie school soms de pest uitgebroken?' vroeg

de gezette man achter de kassa van een van de winkeltjes. Lachend haalde Dax zijn schouders op en legde de asbak terug op zijn plaats. Er zat een vreselijke plastic zeemeermin op geplakt, met CORNWALL erop gedrukt. Toch leek het inderdaad of er op school een ziekte rondwaarde.

'Ik heb gewonnen!' riep Gideon. Hij hield een goedkope barometer omhoog die op een stuk karton was bevestigd dat was bedrukt met felgekleurde foto's van beroemde monumenten in Cornwall, gevat in een lijst van schelpen die roze en zeegroen waren geverfd en waarop vervolgens glitter was gespoten. Onderaan zat een plastic sticker met daarop CORNWALL — LAND VAN TIJDLOZE GEHEIMEN.

'Land van tijdloze kitsch!' verbeterde Gideon.

Daarna gingen ze gauw de winkel uit, want de winkelier had zijn armen over elkaar geslagen en keek hen kwaad aan.

'Ik moet toch ergens van leven...' hoorden ze hem mopperen toen ze weer op straat stonden.

Tot zijn opluchting zag Dax dat er nu meer leerlingen rondliepen in het dorp. Lisa en Mia stonden voor het postkantoor met Jessica Moorland te praten. Verderop, bij de chocolaterie, stonden Jacob en Alex Teller hun geld te tellen. Zij waren de telepathische broers die ook geweldige mimieken waren.

'Kom op,' zei Gideon. 'Het is tijd om chocola in te slaan.'

'Maar moeten we niet eerst naar de meisjes toe? Om te proberen Lisa milder te stemmen?'

'Pas als ik chocola heb. Zonder chocola heb ik er de kracht niet voor. Hé, kijk eens, er is al iemand bij hen, een onaangenaam figuur.'

Dax zag dat Spook op Mia, Lisa en Jessica afliep. Er was iets raars met hem. Hij liep niet zo stoer als anders. Hij liet zijn schouders hangen, zodat hij veel kleiner leek, en er stond geen berekenende uitdrukking op zijn gezicht. Heel merkwaardig. Toen Spook de meisjes had bereikt, boog hij zich naar Mia toe en vroeg haar heel zachtjes iets.

Bezorgd keek Mia op en ze liep een eindje weg bij de anderen. Lisa en Jessica bleven gewoon praten terwijl Mia knikte en haar hand op Spooks wang legde.

Plotseling keek Lisa om en Dax hoorde haar met zijn scherpe gehoor zeggen: 'Hé, Spook, wat doe jij nou? Je kent de regels toch?'

'Nee, laat maar,' zei Mia terwijl ze verlegen een wegwuivend gebaar maakte.

Toen Lisa op Spook afstapte, deinsde hij achteruit. 'Wat heb je dan?' vroeg Lisa kwaad. 'Hoofdpijn? Een zere keel? Puistjes? Vind je ook niet dat een gebroken enkel wel genoeg is voor een paar jaar?'

Spook knipperde met zijn ogen en liet toen zijn hoofd hangen – dat was niets voor Spook.

Dax wist dat zijn vijand een zwakke plek had: hij had het zichzelf nooit vergeven dat hij Mia vorig jaar zijn gebroken enkel had laten helen. Om heel eerlijk te zijn wist toen nog niemand dat Mia de pijn zelf met zich meedroeg en er zich niet van kon ontdoen.

'Het geeft niet,' zei Mia terwijl ze over Lisa's rug wreef. 'Het heeft niets met pijn te maken. En Spook, ik denk niet dat ik je kan helpen. Misschien moet je staalpillen nemen. Of chocola eten. Werk maar een hele berg chocola naar binnen en kijk of dat helpt.'

'Oké, dat zal ik doen,' reageerde Spook. 'Dank je wel.' Hij slenterde weg in Dax' richting en eigenlijk zag hij er al beter uit. Toen hij Dax zag, hief hij natuurlijk zijn hoofd en rechtte hij zijn rug. 'Wat sta jij daar nou te kijken, dingo?' zei hij vals. Hij keek Dax niet eens aan, maar botste wel expres een beetje tegen hem op.

'Nog last van je prikje?' vroeg Dax lachend. Tot zijn vreugde zag hij dat Spook bloosde.

'Nog honden tegengekomen?' snauwde Spook terug.

Dax besloot maar niet op die opmerking te reageren. Dat was verspilde moeite. En iedereen leek toch al zo moe. Achter Spook aan liep hij de chocolaterie in, waar Gideon al genoeg lekkers aan het kopen was om het twee weken mee te kunnen uithouden.

'Je ziet een beetje bleek, Gideon,' zei mevrouw Whitlock. 'Ga je soms te laat naar bed?'

Dax snoof. 'Nou, dat kun je van hem niet zeggen.'

'Nou ja,' zei mevrouw Whitlock, 'van al die chocola knap je vast wel op.'

Met een grijns draaide Gideon zich om, maar toen hoorden ze mevrouw Whitlock zeggen: 'Maar als je er te veel van eet, word je zo rond als een tonnetje. Wat een schrokop!' Verbaasd keken Dax en Gideon naar de anders altijd zo vriendelijke winkelierster, maar die had zich al omgedraaid om chocoladerepen voor Spook te pakken. Spook lag natuurlijk wel dubbel.

Bij de toffees werd ook gegrinnikt. Gideon riep: 'Hé daar!'

Jacob schoot gauw weg en trok Alex met zich mee. Ze hadden knalrode hoofden van het ingehouden lachen.

Verwonderd schudde Dax zijn hoofd. De broers waren hier op school omdat ze via telepathische weg met elkaar konden communiceren, maar ze konden ook ongelooflijk goed mensen nadoen. Ze waren daar zo goed in dat je soms niet meer wist hoe je het had.

'Sorry,' zei Jacob grinnikend. Hij was een vrolijk uitziende jongen met wijd uit elkaar staande blauwe ogen en donkerbruin haar. 'We konden er niks aan doen.'

'Ik ben toch niet echt dik?' vroeg Gideon. Bezorgd keek hij naar zijn buik.

'Nee,' zei Alex, die iets kleiner en blonder was dan zijn broer, maar die net zulke blauwe ogen had. 'Maar je bent wel een schrokop. Misschien moet je de helft van wat er in die zak zit maar aan ons geven, dat zou veel beter voor je gezondheid zijn.'

'Passen jullie maar op jullie eigen gezondheid,' reageerde Gideon waarschuwend, maar hij kon er toch om lachen. Toen de twee broers de winkel uit glipten, zei hij tegen Dax: 'Wat zijn ze goed, hè? Ze zouden best op tv kunnen.'

'Kinderachtig gedoe,' zei Spook neerbuigend. Hij was klaar en liep naar de deur. 'Ik zal jullie laten zien wat iemand met écht talent kan.' Hij stak een hand omhoog en liet het glitter regenen.

Gideon slaakte een gesmoorde kreet en duwde Spook hard tegen de deursponning aan. Bezorgd keek hij om zich heen. 'Stom rund!' foeterde hij. 'Je had gezien kunnen worden!'

Dax had alleen maar de lucht zien trillen, en natuurlijk de glitter, want die was echt.

Spook keek Gideon neerbuigend aan. 'Het is maar schoneschijn, Gideon. Een trucje. Iedereen denkt dat het gewoon een goocheltruc is, en dat moeten ze maar blijven denken. Daar kan ik later mijn voordeel mee doen. Wacht maar totdat ik hier weg ben. Wacht maar totdat ze met camera's komen. Ik word de beroemdste illusionist ooit, terwijl jij nog steeds probeert koelkasten probeert te verplaatsen.' Hij draaide zich om en liep de deur door, waarbij het belletje fel klingelde.

'Op een dag verplaats ik een koelkast recht op zijn kop,' foeterde Gideon.

'Wat had hij deze keer voor schoneschijn?' vroeg Dax.

'O, allemaal papegaaien in verschillende kleuren. Eentje heeft op jou gepoept,' zei Gideon.

Dax lachte. 'Hoe zit dat toch met die glitter?' vroeg hij om Gideon in een betere stemming te krijgen. 'Want die is wel echt, toch? Of ben ik er minder immuun voor?'

'Nee, de glitter is echt,' antwoordde Gideon. 'Hij heeft

zakjes met glitter in zijn mouwen en als hij aan een touwtje trekt, komt de glitter tevoorschijn. Zo denkt iedereen dat het gewoon maar een trucje is, terwijl dat eigenlijk niet waar is...'

Dax knikte. Samen liepen ze verder door Polgammon. De straat slingerde zich langs schilderachtige huisjes met rieten daken en etalages die in ruitjes waren verdeeld en waarin vervormend, antiek glas zat.

'Zin in een patatje?' vroeg Dax, die zijn vriend nog steeds probeerde op te vrolijken.

'Nee,' zei Gideon tot Dax' teleurstelling. 'Ik heb Luke en Catherine beloofd dat ik op tijd zou terug zijn voor de lunch. Sorry.'

'Nou ja, ga jij dan maar vast terug,' zei Dax. 'Dan ga ik wel in m'n eentje eten.'

Gideon bleef staan. 'Hè, doe nou niet zo... Ga met me mee, dan kunnen we lol trappen.'

Dax glimlachte gespannen. Hij wilde dit niet doen, maar er leek niets anders op te zitten. 'Ik red me wel. Misschien zie ik Lisa en Mia nog. Ga jij nou maar terug naar school.'

'Je laat me toch niet in de steek, hè?' vroeg Gideon beschuldigend. 'Ik bedoel, je bent toch mijn beste vriend?'

'Natuurlijk ben ik dat. Maar je hebt nu ook een broer en een zus,' zei Dax. Hij vond het vervelend dat het er niet echt enthousiast uit kwam, maar daar kon hij niets aan doen. 'Je moet je tijd over iedereen verdelen en ík heb nu een heel uur gehad. Ga maar gauw.'

Gideon zag er boos en verdrietig uit. Hij draaide zich om, en toen deed Dax iets heel gemeens. Hij veranderde in een vos en liep weg. Toen Gideon zich omdraaide, lag alleen Dax' reep chocola nog op straat. Dax hoorden hem roepen: 'Hé, Dax, toe nou! Doe niet zo flauw!'

Maar Dax liep verder, een van de met keitjes bestrate zijstraatjes in. Sidderend van woede verschool hij zich achter een vuilnisbak. Hij was zowel kwaad op zichzelf als op Gideon. Hij had iets heel stoms gedaan, zomaar op straat in een vos veranderen, alleen maar omdat hij ruzie had met Gideon. Hij dácht dat niemand het had gezien, maar het was toch knap stom geweest.

Een paar minuten later keek Dax of het veilig was en kwam toen als jongen het steegje uit. Er viel geen spoor van Gideon te bekennen. Vervolgens ging hij naar de tent waar ze de beste patat hadden van de hele streek en bestelde een groot bord friet. Zonder Gideon tegenover zich smaakte het echter lang zo lekker niet en hij at maar de helft op. Juist toen hij weg wilde gaan, ging er iemand op de stoel tegenover hem zitten.

Het was Lisa. Ze keek nog steeds humeurig, dus nu waren er drie mokkende leerlingen, dacht Dax.

'Lisa, ik ben nu niet in de stemming om...'

'Hè, hou je kop nou even en luister naar mij,' viel ze hem bits in de rede. 'Je wolvenvriendje is er weer en hij valt me steeds lastig.'

Dax ging rechtop zitten. De afgelopen paar dagen had hij nauwelijks de kans gehad om aan de wolf te denken, laat staan om uit te zoeken wat de wolf hem die nacht had geprobeerd duidelijk te maken. Maar de wolf had contact opgenomen met Lisa, precies zoals Dax hem had aangeraden.

'Hoelang valt hij je al lastig?' vroeg Dax aarzelend, want hij wist dat Lisa de berichten die ze doorkreeg, soms niet snel doorgaf. Hij vermoedde dat ze dacht dat als ze de berichten gauw doorgaf, de geesten bij haar in de rij zouden komen staan. Een hele rij dode mensen die steeds sneller kwamen aanzetten, rennend zoals in die oude zwart-witfilms zonder geluid.

'Vanaf gisteren, als je het wilt weten,' antwoordde ze met een uitdagende blik. 'Ik zou het je gisteravond hebben verteld, maar toen moest ik de jus van mijn T-shirt wassen.'

'O...' zei Dax, die zijn best deed geduldig te blijven. 'Wat zei hij?'

'Hij zei: "Pas op voor de derde", en "Met vleugels". Maar dat laatste kon ik niet goed verstaan, het zouden ook beugels kunnen zijn, of heuvels. Vraag me niet wat het betekent. Ik wilde maar dat jullie zonder mijn hulp met elkaar in hondentaal konden communiceren!'

'Rustig nou maar,' zei Dax vermoeid.

Tot zijn verbazing slaakte Lisa een diepe zucht en leek in elkaar te zakken. 'Ik weet best dat ik kattig doe, al weet ik niet waarom. Jíj hebt me niks gedaan. Ik ben alleen... uit mijn humeur. Bang. Er is iets... Ik weet het niet. Het is niet meer hetzelfde sinds dat meisje op school is.'

Dax glimlachte. Dus Lisa was ook jaloers... 'Ik dacht dat je Catherine aardig vond. Iedereen vindt haar aardig. Ze is ook best grappig, toch?'

'Jawel, ze is best leuk.' Lisa deed Catherines Amerikaanse accent na. 'Ze vindt mijn kleren fantástisch, ze vindt mijn Engelse accent fantástisch, ze vindt mijn haar fantástisch en ze vindt dat ik fantástisch begaafd ben. Maar zij kan het allemaal ook.'

'Hè? Is ze een medium?'

'Dat weet ik niet zeker, maar ze kan wel heel goed dingen vinden. Ze heeft me dingen laten verstoppen. Nou, die héb ik verstopt. En ze heeft ze allemaal gevonden. Ze ziet er leuk uit, ze heeft leuke kleren aan, ze is grappig én begaafd. Natuurlijk vinden we haar allemaal enig!'

Ineens ging Lisa rechtop zitten en stond toen op. 'Ik ga nu terug. En ik ben niet humeurig, Dax, als je dat maar weet. Ik zit echt niet te mokken.'

Dax grijnsde. Dat laatste moest ze hebben opgepikt toen ze bij hem aan tafel was komen zitten.

'Tot straks, Hardman,' zei hij.

Ze zwaaide nog even en liep toen naar buiten.

Dax dacht na over het bericht. Pas op voor de derde... En... Wat was het ook weer? Iets met vleugels, beugels of heuvels. Hij slaakte een zucht. De derde kon een datum zijn. Het was eind april, dus dat zou dan de derde dag van mei zijn. Over een paar dagen al. Misschien zou er die dag iets gebeuren. Maar dat met die vleugels, beugels of heuvels? Wat voor vleugel? Een vleugel van het schoolgebouw? Het enige andere gebouw met vleugels dat hij kon bedenken, was Lisa's grote landhuis. Of had het iets met beugels te maken? Dat zou nog vreemder zijn. Hoofdschuddend dacht hij aan de eerdere aanwijzingen. De wolf had drie keer aan de boomstam gekrabd. Misschien was dat de derde? Maar hij had ook omhooggekeken naar de takken...

Dax besloot om door het bos terug te lopen naar school en nog eens naar die boom te gaan kijken. Met een beetje moeite vond hij de boom terug, maar hij stond nog steeds voor een raadsel. Deze keer klom hij omhoog via de knoestige stam en keek eens goed om zich heen. De boom stond in bloei, er zaten roze bloesems aan. Dax keek omhoog naar de hogere takken en dacht dat hij daar nog een paar oude, donkere bladeren zag, dicht bij elkaar. Was het soms een nest? Nee, het waren gewoon bladeren die bewogen in de wind. Hij gaf het op en liet zich naar beneden glijden. Misschien zou de wolf terugkomen in een droom en het allemaal uitleggen.

'Dat zou geweldig helpen!' riep Dax bemoedigend naar boven. Maar die nacht droomde hij van vliegen. Hij vloog door kleine vierkantjes heen. Toen zag hij een van Alice' poppen met Gideon over het zwembad schaatsen, en Dax mocht Gideons extra paar schaatsen niet lenen. En toen was er iets met vissen en ondertussen hoorde hij Céline Dion zingen...

14

Hij deed erg zijn best om aan pizza te denken. Een stuk pizza in een oven. En pizzapunt met een knopje erop waar je op kon drukken als je erg bang werd. Hij voelde het kunststof apparaatje in zijn hand en hij wist dat hij maar op het knopje hoefde te drukken en ze zouden hem eruit halen.

'Gaat het, Dax?' hoorde hij Owens stem in de koptelefoon. Deze keer had hij geen muziek gewild, maar wel Owen, die hem geruststelde.

'Ja, deze keer red ik het wel,' antwoordde Dax. Hij deed zijn best regelmatig te ademen. Het was niet erg dat hij zich in deze kleine ruimte bevond, want hij kon eruit wanneer hij dat wilde. Vossen zitten graag in holletjes. Het was het metalige geluid waar hij bang van werd, want dat herinnerde hem aan de scheppen van de jagers. Zijn maag knorde. Hij had Owens advies opgevolgd en had de MRI-scan laten doen terwijl de andere leerlingen aan het ontbijt zaten. Dan was het maar voorbij.

'Mooi zo. Ik weet zeker dat het deze keer wel lukt.' Owens stem klonk metalig door de koptelefoon, maar het was toch geruststellend om hem te horen. 'Ik blijf met je praten. We gaan nu beginnen.'

Na de eerste metalige klap kromp Dax' maag samen. Hij concentreerde zich op zijn ademhaling – in, uit, in, uit – en deed zijn best niet aan de jachtpartij te denken.

'Je bent de laatste,' zei Owen. 'We zullen de resultaten gauw binnenkrijgen en dan weten we of er duidelijke verschillen zijn in jullie hersenen. Dit is een wonderbaarlijk apparaat... Net alsof je de hersenen eruit haalt, door de snijmachine haalt en alle plakjes nauwkeurig bekijkt. Maar dan minder bloederig. Echt geweldig. Deze week bekijken ze ook het bloed dat van jullie is afgenomen, om te zien of er afwijkingen zijn. Je weet wel, of het verschilt.'

Dax luisterde naar Owen tussen de herrie door, en het hielp echt.

'Wiebel even met je tenen als je me goed kunt horen, Dax.'

Dat deed Dax. En toen rees het beeld opeens voor hem op van een donker hol en een jachthond die kwijlend zijn kop naar binnen steekt, alsof er een mes door een plafond werd gestoken. Dax' hart klopte wild en het apparaatje met het knopje voelde glibberig in zijn klamme hand.

Maar Owen praatte gewoon door. 'Luister je naar me, Dax? Wel blijven luisteren, hoor! Denk maar aan vuur zonder rook. Wat heb je de afgelopen week geleerd?'

Dax dacht koortsachtig na over droge twijgen, bast van de takken halen, ze netjes opstapelen zodat de hitte binnen bleef, en de takken niet in het vuur laten vallen. Hij dacht aan hout, aan Catherine die zichzelf sneed en zichzelf heelde, aan een appelboom zonder antwoorden, aan de donkere bladeren die misschien een nest waren, maar waarschijnlijk niet, en aan Gideon. Gideon. Hij had Gideon sinds de vorige dag niet meer gesproken en bij die gedachte kreeg hij een naar gevoel in zijn buik. Het was helemaal verkeerd. Daar werd hij weer besprongen door de duisternis... Kwijlende kaken, de geur van rauw vlees...

'Dax, niet afdwalen! Beweeg de tenen van je linkervoet!'

Owen wíst waaraan Dax dacht. Misschien was Owen toch een empaath, dacht Dax. Of misschien merkte Owen

het aan iets anders. Maar er zaten geen plakkertjes op Dax'
borst, niets om zijn hartslag te meten.

Ik ben er nog, dacht Dax.

Owen zei: 'Mooi zo. Heel goed.' Maar dat kon hij ook
zeggen omdat Dax met zijn tenen bewoog.

'Denk nu maar aan paddenstoelen,' zei Owen. 'Denk
maar aan welke goed zijn en welke giftig. En vooral aan de
paddenstoelen waarmee je je kunt vergissen.'

Cantharellen, dacht Dax en hij haalde zich de abrikoos-
kleurige parapluutjes voor de geest. Weidechampignon.
Groene knolamoniet. Nee, die is niet goed! Kwijlen... Bief-
stuk! Die nootbruine die op bomen groeit en die je in stukjes kunt snijden en eten. Ze smaken naar vlees. Die hadden
Gideon, Mia, Lisa en hij gegeten toen ze in de herfst in
kleermakerszit onder een eikenboom hadden gezeten,
rond een lekker warm vuurtje waarop Owen ze had gekookt in een blik dat hij aan een groene tak boven de vlammen had gehouden. Een schep... Dax wilde dolgraag dat de
scan klaar was. Hij hield het uit, met hulp van Owen, maar
hij had het gevoel dat hij elk moment in een vos kon veranderen. In een vos veranderen en vluchten. Net zoals
gisteren, toen hij Gideon in de steek had gelaten. Dat nare
gevoel in zijn buik kwam terug. Gideon en hij hadden elkaar niet meer gesproken. Niet omdat ze elkaar expres
hadden ontlopen, maar omdat ze geen moeite hadden gedaan.

Tijdens het avondeten had Gideon met Catherine, Luke,
Barry en Mia aan tafel gezeten. Dax had willen aanschui-
ven, maar na het bord friet had hij nog geen honger. Niet
voldoende honger om aan tafel te gaan zitten en zich
schuldig te voelen dat hij Gideon in de steek had gelaten.
Dus was hij langs de balie geslenterd, had naar de soep en
het brood gekeken en was toen zonder iets te eten naar de
woonkamer gegaan.

Daar had hij met een paar andere leerlingen naar een film gekeken. Hij had niet eens gemerkt dat Gideon door de woonkamer was gelopen om naar bed te gaan. Tegen de tijd dat hijzelf naar boven was gegaan, was zijn vriend – tenminste, hij hóópte dat Gideon nog zijn vriend was – allang in slaap gevallen. Barry had ook al geslapen, hij had fluitende geluidjes gemaakt onder het dekbed. Alleen Luke was nog wakker geweest, die had zoals gewoonlijk weer liggen lezen. Tot Dax' verrassing had hij ineens gezegd: 'Maak het morgenochtend maar goed met hem.'

Dax had Gideons evenbeeld aangestaard.

'Hij mist jou ook, hoor,' had Luke gezegd terwijl hij een bladzij omsloeg. 'Het spijt me dat ik alles voor jullie verpest.'

Dax had zijn hoofd geschud. 'Je verpest helemaal niks,' had hij gezegd. 'Het spijt me als ik je dat gevoel heb gegeven. Ik mag je graag. Jij hebt hier niets mee te maken.'

Luke had zijn schouders opgehaald en had niets meer gezegd.

De volgende morgen was Dax alweer eerder opgestaan dan Gideon. Omdat het zondag was, was er weer geen bel. Hij was volgens afspraak naar de ruimte gegaan waar de scanner stond, en daar had Owen al op hem gewacht. En nu lag hij hier als een paniekerige pizzapunt in de oven en Gideon en hij hadden het nog steeds niet goedgemaakt. Hij moest er echt iets aan doen.

Als bij toverslag hield de herrie ineens op. 'Klaar!' zei Owen. 'Je hebt het goed gedaan.'

Opgelucht bewoog Dax zijn tenen en Owen lachte. Toen Dax uit het apparaat was geschoven, sprong hij op de grond en pakte zijn sokken en schoenen. 'Ik moet naar Gideon,' zei hij tegen Owen voordat hij de ruimte uit stoof.

In de eetzaal gekomen zag Dax een hele berg bestek boven de tafel zweven. Er verscheen een grijns op Dax' gezicht. Echt iets voor Gideon. Hij zou met hem gaan praten en zijn excuses aanbieden. Gideon zou lachen en hem een stomkop noemen, en dan zou alles weer in orde zijn.

Maar toen hij naar de tafel liep, bleek alles helemaal niet in orde te zijn. Gideon hing onderuit op zijn stoel, met zijn hoofd op zijn hand geleund. Met zijn andere hand propte hij happen geroosterd brood met roerei in zijn mond. Zijn ogen zaten halfdicht.

Mia at haar muesli en keek niet eens naar de zwevende vorken, lepels en messen.

Barry at worstjes en keek glazig voor zich uit.

De enige die aandacht aan de vliegende vorken besteedde, was Luke.

Blijkbaar liet Catherine het bestek zweven. Haar groene ogen fonkelden en ze hield Gideons schouder stevig vast. 'Kijk! Kijk, Gideon, kan ik het nu net zo goed als jij? Kijk dan!'

Gideon knikte en zei: 'Catherine, je bent briljant.' Maar hij keek nauwelijks.

Dax kreeg er een akelig gevoel bij. Er was iets mis. Er was iets heel erg mis. 'Gideon...' zei hij.

Net op dat moment keken Catherine en Luke op.

'Gideon,' zei Dax weer. 'Gideon, kan ik je even spreken?'

Tersluiks keek Catherine hem aan en gaf toen Gideon een por. 'Volgens mij wil Dax zijn excuses aanbieden,' zei ze. Meteen plofte al het bestek op tafel. Catherine klonk alsof ze Gideon in bescherming wilde nemen.

Dat ergerde Dax. Had Gideon haar alles verteld?

Nog steeds keek Gideon niet op, hij werkte gewoon zijn roerei naar binnen als een robot.

Hij zal me toch niet expres negeren, dacht Dax geschrokken. Dat was niets voor Gideon. Hij kon het dan ook nauwelijks geloven.

'Ik denk dat je beter kunt weggaan,' zei Catherine. Ze

haakte haar arm door die van Gideon en schoof bezitterig tegen hem aan. 'Je hebt hem gisteren erg gekwetst, hoor. Ik praat wel met hem. Waarschijnlijk wil hij je later vandaag wel spreken.'

Ontzet keek Dax haar aan. 'Dat kan mijn beste vriend zelf toch wel zeggen?' zei hij. Hij liep naar Gideon toe en schudde zijn schouder. 'Gideon! Word eens wakker, sufkop. Ga mee naar buiten, we moeten praten.'

Gideon deed zijn ogen helemaal open en keek Dax geergerd aan. 'Ik zit toch te eten?' zei hij.

Dax boog zich voorover, zodat hij op gelijke hoogte met Gideon kwam. 'Echt, Gideon, het is heel belangrijk.'

Met een zucht liet Gideon zijn vork op zijn bord kletteren. Toen stond hij op en liep achter Dax aan naar buiten, waar de wind in hun gezicht blies.

'Ten eerste heb ik spijt van gisteren,' zei Dax snel. 'Dat had ik niet moeten doen. Ik was alleen heel erg...'

'Jaloers,' viel Gideon hem in de rede. 'Ja, ja, dat weet ik al. Wilde je me dat vertellen? Dat had ik anders zelf ook al wel begrepen, hoor.'

Gekwetst keek Dax hem aan. 'Nou ja, ik voelde me inderdaad een beetje buitengesloten. Ik moet er nog aan wennen, snap je? Maar je moet het ook eens van mijn kant bekijken en...'

'Ik bekijk het van jouw kant en mij spijt het ook,' zei Gideon.

Meteen voelde Dax zich opgelucht.

'Het spijt me dat we niet allemaal met elkaar overweg kunnen,' ging Gideon verder. 'Maar ik kan Luke en Catherine niet zomaar in de steek laten wanneer jij eraan komt. Ik ken ze nog maar net en ze betekenen veel voor me. Snap je dat dan niet? Vooral Catherine betekent veel voor me. Volgens mij is het een teken dat we zo ineens weer bij elkaar zijn gekomen. Wij zijn belangrijk, en jij... jij...'

'Ik ben niet belangrijk,' zei Dax zuur.

Gideon keek niet blij, maar hij zei niets.

'Je bent jezelf niet, Gideon,' zei Dax. 'Dat besef je zelf toch ook wel? Je doet tegenwoordig heel anders. En net als alle anderen ben je voortdurend moe. Bij het avondeten kun je al niet meer uit je ogen kijken. Dat is toch niet normaal?'

'Het zal wel,' zei Gideon schouderophalend.

'Nee, luister nou naar me!' Ineens werd Dax echt bang. Zijn vosseninstinct stak de kop op, net als op de dag van de jachtpartij. Hij vertrouwde op zijn vosseninstinct. 'Er is iets heel erg mis hier. Merk je het dan niet? Iedereen doet raar. Volgens mij... volgens mij heeft het icts met de onderzoeken te maken. De scans en het bloedonderzoek en... en... Weet ik het? Misschien is het het eten. Of het water. Gideon, echt, er klopt iets niet!'

Gideon draaide zich om naar de eetzaal. 'Ja, Dax, het ligt aan het water.' Hij slofte terug naar binnen.

Dax keek hem sprakeloos na. Hulpeloos balde hij zijn vuisten. Hij sloot zijn ogen en dacht aan het gesprek dat hij met Gideon had gehad. Hij stond op het punt zijn beste vriend kwijt te raken. De wereld was grauw en troosteloos geworden.

Toen hij zijn ogen weer opendeed, keek hij in twee groene ogen.

Gideons zusje glimlachte meelevend. 'Het komt wel goed, hoor, Dax,' zei ze. Het leek wel alsof haar ogen vochtig waren, alsof ze op het punt stond in huilen uit te barsten. 'Volgens mij wordt het hem allemaal een beetje te veel. Dat van Luke en mij,' zei ze.

Het verbaasde Dax dat ze zo meelevend tegen hem deed.

'Och, hij went er wel aan,' ging ze verder. 'En dan wordt hij weer je beste vriend. Ik ga wel met hem praten.'

'Ik voel me prima. Echt.' Mia ging op het warme gras van het sportveld zitten, naast Dax. Ze schudde haar hoofd. 'Volgens mij voelt Gideon zich ook goed. Nou ja, hij is behoorlijk slaperig, maar dat is waarschijnlijk de natuurlijke reactie op alle emoties. Zo gaat het lichaam met stress om.'

Kwaad plukte Dax aan het gras. 'Het is niet alleen Gideon, iedereen is zo moe. Jij ook. Jullie zijn allemaal zo rustig. Veel te rustig.'

Mia glimlachte. 'Ik probeer ook rustig te zijn. Dat hoort bij een heler. Als we rustig zijn, kunnen we veel beter onze energie laten stromen. Bij Ontwikkeling oefenen we in zelfhypnose. Waarschijnlijk lijk ik daarom zo sereen. En ja, ik voel me inderdaad een beetje moe, maar dat is niet verrassend, omdat we zoveel moeten doen. Volgens mij moeten we te hard werken. Misschien moeten we de leraren vragen of we een poosje rustig aan mogen doen. Of ze de proefwerken willen uitstellen. Het is niet eerlijk dat we het programma van gewone scholen moeten volgen én nog zoveel extra moeten doen.'

'Heb je me geroepen?' Lisa kwam aangerend op haar nieuwe sportschoenen. Ze had een uur lang hardgelopen over het schoolterrein.

In elk geval ligt Lisa niet in een soort half coma, dacht Dax. 'Ja, bedankt dat je bent gekomen,' zei Dax. Hij kreeg het gevoel alsof hij de voorzitter van een belangrijke vergadering was. Hij had Lisa een bericht 'gestuurd', waarin hij haar had gevraagd naar Mia en hem te komen. 'Ik wil met je praten over Gideon en waarom iedereen zo uitgeput is.'

'Uitgeput?' vroeg Lisa. 'Zie ik er uitgeput uit?'

'Nee, niet echt.'

'En zij dan?' vroeg Mia zacht.

Dax keek naar de overkant van het sportveld, waar de

Tregarren Terrors aan het trainen waren als voorbereiding op de wedstrijd tegen de Tigers. Vanuit de verte zagen ze er heel gewoon uit, alleen misschien niet erg energiek.

Met een zucht plukte Dax nog een grasspriet. 'Ben ik de enige die het merkt, of doet Gideon echt raar? Mia, jij was erbij tijdens het ontbijt. Jij hebt alles gezien.'

Mia knikte. 'Ik vond dat hij nogal hard tegen je was. Maar hij draait heus wel bij, Dax. Je bent zijn beste vriend, toch?'

'Hij wás mijn beste vriend.'

Lisa liet zich naast hem in het gras ploffen en strekte haar benen. 'Je blijft altijd mijn beste vriend, hoor,' zei ze. 'Maar ik snap wat je bedoelt. Op het ogenblik is hij erg afwezig. Misschien moet hij er nog aan wennen dat hij onderdeel van een drieling is.'

'Zoiets zei Mia ook al. Dus... jullie hebben verder niets gehoord? Lisa? Heb je nog bericht van de wolf gekregen of zo?'

Lisa bewoog geconcentreerd haar tenen. 'Natuurlijk hoor ik van alles. Ik krijg voortdurend berichten door. Op dit moment zit een oude ster van het variété in mijn oor te zingen dat iemand niet moet treuzelen. Het suffe mens. Ze zegt er niet eens bij wíé er dan niet moet treuzelen. Ze verspilt mijn tijd! Ga toch weg, mens! Ga in de rij staan! Je komt maar terug als je iets zinnigs te zeggen hebt.'

Dax moest erom lachen. Lisa was het malste medium dat je je maar kon voorstellen.

'Weet je, Dax,' ging ze ernstig verder, 'ook als ik iets belangrijks doorkrijg, besef ik dat niet altijd meteen. Soms lijkt iets belangrijks heel suf en grappig, en iets onbelangrijks heel zwaar en serieus. Je kunt er geen peil op trekken.'

Dax knikte. 'En jij voelt je goed?'

'Jawel.' Lisa stond op en deed rekoefeningen. 'Maar weet je, ik doe aan hardlopen en ik ben veel alleen. Daardoor

draai ik niet door. Je moet maar weer eens met me mee-
lopen. Als jongen, bedoel ik. De laatste tijd ben je veel te
vaak een vos. Van hardlopen zul je weer helder kunnen
denken. Soms denk ik weleens...'

Op het moment dat Lisa zweeg, voelde Dax een windvlaag. Lisa viel op haar knieën. Verbijsterd keken Dax en
Mia naar haar. Lisa keek ontzet. Ze had haar ogen gericht
op iets in de verte en haar pupillen waren klein, alsof ze
iets niet wilde zien.

Toen sloeg ze haar hand voor haar mond en fluisterde:
'Mijn vader...'

15

Even bleven Dax en Mia alleen maar ontzet kijken naar Lisa, die heel hard over het sportveld naar het schoolgebouw liep. Toen veranderde Dax in een vos, zo snel dat je het bijna kon horen, en rende achter haar aan.

Toen hij haar had ingehaald, stoof ze de treden voor Owens huisje al op. *Lisa, Lisa, wat is er,* dacht hij geconcentreerd. Maar hij kreeg alleen maar warrige, paniekerige dingen terug: *O nee, pap... niet mijn vader... o, pap...*

Met al haar kracht bonkte ze op Owens deur en toen Owen opendeed, viel ze bijna naar binnen. Gelukkig kon Owen haar opvangen. Ze gilde: 'Mijn vader! O nee, mijn vader! Owen, je moet me naar huis brengen! Ik moet naar huis! Mijn vader, hij...'

Dax was verbijsterd. Zo had hij Lisa nog nooit meegemaakt. De tranen biggelden over haar wangen en ze moest tegen de muur leunen alsof haar benen haar niet meer konden dragen.

Owen zei: 'Ga mevrouw Sartre halen, nu meteen!'

Onmiddellijk schoot Dax weg over het pad en over de rotsige helling waar een mens niet kon lopen. Binnen een paar tellen stoof hij al over het gazon en door een open raam het gebouw in.

Paulina Sartre kwam bleek en bezorgd haar werkkamer uit. Zodra ze Dax zag, vroeg ze: 'Waar is ze? Is ze bij meneer Hind?'

Dax knikte, remde af, waarbij hij een eindje doorschoot, en draafde toen terug naar de rectrix. Wist ze al wat er met meneer Hardman aan de hand was? Was er al iets met hem gebeurd? Zowel mevrouw Sartre als Lisa wisten soms dat er iets zou gebeuren voordat het daadwerkelijk had plaatsgevonden. Misschien konden ze nog ingrijpen...

Toen ze Owens huisje inliepen, stond Lisa nog hysterisch te huilen.

Owen deed zijn best haar te kalmeren. 'Rustig,' zei hij. 'Als je zo van streek bent, sluit je jezelf af. Rustig, Lisa, misschien dat er dan meer doorkomt.'

Zodra Paulina binnen was, legde ze haar handen op de schouders van het bevende meisje.

Meteen werd Lisa rustig, alsof ze een verdovend middel ingespoten had gekregen. Haar betraande ogen werden donkerder blauw, haar ademhaling stokte even en werd vervolgens regelmatig. Ze keek mevrouw Sartre aan alsof ze was gehypnotiseerd. En misschien was ze dat ook wel, dacht Dax.

'Waar?' vroeg mevrouw Sartre. Haar stem klonk koel als grijze zijde. Zelfs Dax voelde zich er rustig van worden en zonder het te merken veranderde hij weer in een jongen. Toen Lisa met haar ogen knipperde, zei mevrouw Sartre: 'Ja, ik zie het nu ook. Gebeurt het nu, of in de toekomst?'

Weer knipperde Lisa met haar ogen en haar lippen bewogen alsof ze een gebedje prevelde, maar er kwam geen geluid.

'Je moet ernaartoe. Meneer Hind brengt je wel,' zei mevrouw Sartre.

Lisa sloot haar ogen en bleef doodstil staan. Dax keek gefascineerd naar haar.

'Nu loop je naar de auto, *chérie*,' zei mevrouw Sartre zacht. 'Je stapt in en je slaapt totdat je er bent. En je ontvangt geen berichten, *tu comprends?*'

Lisa knikte met gesloten ogen. Ze zwaaide een beetje op haar benen.

'Word dan nu maar wakker,' zei mevrouw Sartre. Ze liet Lisa los.

Lisa sloeg haar ogen op en keek rustig om zich heen, maar ze beet wel op haar lip.

Owen keek van Lisa naar mevrouw Sartre. 'Waar gaan we naartoe? Wat is er gebeurd?'

'Meneer Hardman heeft een auto-ongeluk gehad,' antwoordde mevrouw Sartre. 'Hij heeft Lisa nodig. Dus ga nu maar, Owen.'

Dat deed Owen. Hij pakte zijn jasje, de autosleuteltjes en ook nog een geruite deken die op de leren stoel bij de open haard lag. Zorgzaam sloeg hij de deken om Lisa's schouders. Vervolgens liep hij met haar naar buiten, over het pad naar het poorthuis en het schoolterrein af.

Zwijgend keek Dax hen na. Hij vond het verschrikkelijk voor Lisa. Hij was erg gesteld op haar vader en hoopte maar dat alles goed zou komen met hem.

'Ga jij het maar vertellen aan Mia en Gideon,' zei Paulina Sartre. 'Misschien kan Mia Lisa een beetje steun sturen.'

'Zou het niet beter zijn als Mia met haar meeging?' vroeg Dax. 'Misschien kan ze helpen.'

Paulina Sartre schudde haar hoofd. 'Nee, Dax. Daar is Mia nog niet klaar voor. Het zou in veel opzichten te gevaarlijk zijn.'

In elk geval zou dit misschien de kloof tussen Gideon en hem kunnen dichten, dacht Dax terwijl hij met Mia en Gideon over het gazon liep. Hij had iedereen snel bij elkaar geroepen. Mia was al op zoek naar hem geweest, ze wilde dolgraag weten hoe het met Lisa was. Ook had ze Gideon al uit de woonkamer gehaald. Dax durfde Gideon niet aan te kijken toen hij vertelde wat Lisa's vader was overkomen.

'Jemig,' mompelde Gideon. 'Arme Lisa. Arme Maurice. Ik hoop dat het goed komt.' Vervolgens schudde hij zuchtend zijn hoofd en liep terug naar de woonkamer.

Mia keek Dax met een flauwe glimlach aan. 'Ik stuur goede gevoelens,' zei ze.

'Merkt Lisa daar op die afstand wat van?'

'O ja. Ik heb haar al gehad. Ik bedoelde goede gevoelens voor Gideon en jou.'

Het was al donker geworden toen er bericht kwam en het was ook flink gaan waaien. Na het avondeten kreeg Dax een boodschap van de rectrix. Het briefje werd hem in de woonkamer overhandigd door Jacob Teller. Er stond: Owen heeft gebeld. Maurice Hardman was vanochtend betrokken bij een botsing met een andere auto. Hij moest uit de auto worden gezaagd. Hij heeft zijn been en zijn heup gebroken, en drie ribben gekneusd, maar verkeert niet meer in levensgevaar. Lisa blijft een paar dagen bij hem. Dankjewel voor je hulp. Wil jij het iedereen vertellen?

Dax slaakte een zucht van verlichting en gaf het briefje door aan Mia, die na het lezen ook opgelucht zuchtte. Vervolgens gaf ze het briefje door aan Gideon.

'Tjonge, dat was ook op het nippertje,' zei Gideon tegen Mia, waarna hij het nieuws aan Luke en Catherine vertelde.

Dax zat op de armleuning van de bank, bij de open haard. Samen met Mia keek hij naar de drieling, die in een ernstig gesprek was verwikkeld. Mia stuurde Dax een troostend gevoel, maar dat hielp niet echt. Hij voelde zich totaal buitengesloten. Catherine zat naar haar broers gebogen, met een bezorgde uitdrukking op haar gezicht. Maar ineens stond ze op en kwam bij Mia en Dax staan.

'O wauw, wat een dag...' zei ze. Ze streek haar glanzende pony uit haar ogen. 'Gaat het een beetje met jullie?' Toen ze knikten, wreef ze over hun rug. 'Er gebeurt hier van alles, hè?' zei ze. 'We moeten binnenkort eens iets leuks gaan doen. Zullen we een middernachtelijke picknick organiseren?'

Verrast keek Dax haar aan. Ze klonk net als iemand uit een ouderwets kostschoolverhaal.

'Sorry als het klinkt alsof ik niet met Lisa meeleef,' zei Catherine alsof ze gedachten kon lezen. 'Maar weet je, Dax, ik maak me zorgen om jou en Gideon. Jullie moeten het uitpraten. Gideon stelt zich aan, want ik weet heel goed dat hij dol op je is. En, wat vind je ervan? Morgenavond? Als het goed weer is? We zouden in de maneschijn kunnen gaan picknicken. Nou, wat zeggen jullie ervan?'

'Goed idee,' zei Mia.

Dax wist het nog niet zo zeker, maar hij knikte toch maar.

Opgetogen klapte Catherine in haar handen. 'O wauw, fantástisch! Ik regel het wel. Wacht maar, we zullen reuzelol hebben!'

Het was raar om te gaan slapen als Gideon niets tegen je zei, maar wel gewoon deed tegen Barry en Luke. Dax poetste zijn tanden, stapte in bed en schoot snel onder het dekbed. Tegen het schuine raam boven hem kletterde de regen. Als het bleef regenen, zou Catherines plannetje voor de volgende avond niet kunnen doorgaan. Even dacht hij erover om alleen naar buiten te gaan, om als vos door het bos te gaan scharrelen, maar de regen kwam met bakken uit de hemel en hij had geen zin om doorweekt te worden. Bovendien vertrouwde hij het eten in de keuken niet. Bij het avondeten had hij alleen maar crackers met smeerkaas gegeten en melk uit een pakje gedronken. Hij maakte zich zorgen dat er misschien iets in het eten of het water werd gedaan. Aan de ene kant was zijn vermoeden natuurlijk belachelijk. Zo achterdochtig wilde hij niet zijn.

Maar aan de andere kant moest er toch íéts zijn waarvan de leerlingen zo uitgeput raakten.

Hij draaide de anderen de rug toe en dacht aan zijn kennis bij de krant, de journaliste Caroline Fisher. Caroline was waarschijnlijk de enige journalist ter wereld die wist van deze school. Vorig jaar had ze bijna de wereldpers op Tregarren afgestuurd, toen ze Dax had opgespoord. Hij had toen een hekel aan haar gehad, met haar zakelijke kleding en interessante maniertjes. Maar Patrick Wood, de toenmalige rector, had haar uitgenodigd een kijkje op school te komen nemen. Ze had als een vlieg in zijn spinnenweb gezeten, volkomen ingepakt door zijn schoneschijn. Later had Patrick Wood haar daarmee naar het moeras in het bos gelokt en haar bijna laten verdrinken. Omdat Dax haar met hulp van Gideon, Lisa en Mia van de dood had gered, was ze als een blad aan de boom omgeslagen. Ze had ermee ingestemd de school met rust te laten en de media niet te tippen over de Koms. Na een lang gesprek met de autoriteiten had ze haar werkzaamheden bij de krant weer mogen hervatten.

Ze had echter contact gehouden met Dax. Niet lang na het voorval in het moeras had ze hem een brief geschreven waarin ze hem waarschuwde voor de leiding van de school, of degenen die weer boven hen stonden. Ze had gezegd dat sommigen misschien niet waren zoals ze zich voordeden.

Dax trok de la van zijn nachtkastje open en tastte onder de houten bovenkant, waar hij een klein pakje stevig had vastgeplakt, zodat niemand het kon zien. Het was een sleutel voor iets wat het Uilennest heette en ergens op Exmoor lag. Het was Carolines huis, waar ze zich kon terugtrekken wanneer ze dat wilde, en Dax mocht dat ook doen. Dax had nooit gedacht dat hij zich daar zou willen terugtrekken, maar nu wist hij het niet meer zo zeker.

Steeds beter kon hij haar waarschuwing begrijpen. De Koms konden alleen maar hopen dat de school het goed met hen voorhad. En ook al was dat zo, dan waren ze immers hier om onderzocht te worden. Hoe kon je hun reacties beter onderzoeken dan door iets uit te halen met hun voedsel en drinken? Misschien was er niets aan de hand, maar toch vond Dax het niet prettig. Hij was van plan de volgende ochtend te ontbijten met een voorverpakt bekertje yoghurt. Misschien zou hij ook kunnen gaan jagen. Het zou fijn zijn als hij kon zeggen dat hij dat een afstotende gedachte vond, maar dat was niet zo. Als jongen had hij niet de drang levende wezens iets aan te doen, maar als vos benaderde hij de natuur zakelijker. Hij stond boven aan de voedselketen. Dat had de natuur nu eenmaal zo beslist.

Hij viel in een onrustige slaap. Weer droomde hij dat hij door vierkanten vloog. In zijn droom hoorde hij Lisa roepen. En toen herhaalde ze ineens alles wat hij zei, alsof ze een vervelende kleuter was. Eindelijk stopten de dromen en kon hij beter slapen, maar hij was zich net als een vos bewust van alles om zich heen, ook van de regelmatige ademhaling van de andere jongens.

Hij werd wakker van een krakend geluid, zo hard dat hij schrok en schreeuwend om zich heen sloeg. Zijn gezicht prikte en het voelde alsof hij een draai om zijn oren had gehad. Het was net alsof er iets op de grond was gevallen.

Barry zat recht overeind in bed en Gideon plofte met dekbed en al op de vloer. Vreemd genoeg ging Luke rechtop zitten en riep: 'Sorry!' Toen keek hij verward om zich heen. De wind vanaf zee drong door in hun kamer en sloeg de bladzijden van een boek om.

'Wat was dat?' vroeg Barry.

Dax knipte het lampje bij zijn bed aan en honderden glassplinters fonkelden in het licht. Ze lagen verspreid over de grond en het dekbed en ze vielen ook uit zijn haar.

Vol ontzag keek hij omhoog, de nachtelijke hemel in. De drie schuine ramen waren gebroken.

Dax had graag geloofd dat de wind een tak of een stuk steen tegen het glas had gewaaid, maar hij wist wel beter. Dat kon niet, niet als er dríe ramen waren gebroken.

Verwonderd en bang kroop Gideon uit het dekbed. 'Ik... ik dacht dat ik droomde,' zei hij.

'Heb jij dat gedaan, Gideon?' vroeg Barry boos. 'Zit je nou te experimenteren met glas? Want dit is niet leuk meer, hoor!'

'Nee!' riep Gideon uit. 'Ik was het niet... Tenminste, ik geloof niet dat ik het heb gedaan. Ik bedoel... zoiets is nog nooit gebeurd.'

'Voor alles bestaat een eerste keer,' mompelde Barry geergerd. Hij schudde de glasscherven van zijn dekbed. Net als Dax bloedde hij licht uit de wondjes op zijn wangen, zijn voorhoofd en zijn neus, daar waar het glas hem had gesneden.

Luke was minder toegetakeld, maar zijn bed stond dan ook niet onder een raam. Maar hij zag er wel erg geschrokken uit.

'Zeg, Dax, ga jij het even aan de leraren vertellen?' vroeg Barry bars. 'We kunnen hier niet blijven.'

Dax ging op weg en na vijf minuten kwam hij terug met mevrouw Dann en meneer Pengalleon. Gelukkig was de wind gaan liggen en regende het niet meer zo hard. De volwassenen besloten dat de jongens maar naar de woonkamer moesten om daar op de banken verder te slapen. Hun kamer zou dan later wel worden opgeruimd. Ondertussen kwamen er andere jongens hun kamer uit om te kijken wat er aan de hand was.

'Naar jullie bed!' zei mevrouw Dann streng. 'Er is een raam gebroken, meer niet. Wegwezen, jullie!' Ze haalde extra beddengoed en gaf dat aan de jongens.

Meneer Pengalleon bekeek de rommel aandachtig en wreef over zijn baard. 'Nou ja, dat moet maar blijven liggen tot morgen,' zei hij. 'Pas op waar je loopt en zorg dat je geen glassplinters mee de gang op neemt.'

'Gaat het, Luke?' vroeg mevrouw Dann toen ze naar beneden liepen.

Luke zag er inderdaad witjes uit. 'Ik heb een beetje hoofdpijn,' zei hij. 'Dat was al zo voordat ik ging slapen, nu is het alleen maar erger, daar heeft al dat rondwaaiende glas wel voor gezorgd.'

'Tja, dat zal wel. Ik geef je wel een aspirientje.' Ze haalde een tabletje en een glas water voor Luke, en een droge cracker. Vervolgens ging ze terug naar bed. Ze had niet gevraagd hoe het kwam dat de ruiten waren gebroken. Net zoals de meeste leraren besefte mevrouw Dann dat je van deze leerlingen alles kon verwachten en bovendien was het midden in de nacht.

Meneer Pengalleon verzegelde de deur van hun kamer met tape, zodat er niemand op blote voeten naar binnen kon lopen. 'Morgenochtend vroeg ruim ik de troep op,' beloofde hij. 'En dan kunnen jullie pakken wat jullie nodig hebben.'

Toen hij wegging, bleven de jongens een poosje ongemakkelijk zwijgen.

'Gideon,' vroeg Dax zacht, 'heb jij dat gedaan?'

'Ik zei toch al dat ik het niet weet,' snauwde Gideon. 'Ik zou niet weten hoe ik dat gedaan zou moeten hebben. En als ik het gedaan heb, dan zeker niet met opzet.' Hij zag er nog steeds geschrokken uit. Vastberaden trok hij het dekbed over zijn hoofd en sloot zijn ogen.

Barry draaide zich snuivend om en om onder zijn beddengoed. Het duurde niet lang of zijn ademhaling ging over in een regelmatig fluiten. Ook Gideon leek al in slaap te zijn gevallen.

Dax keek naar Luke, die stilletjes op zijn rug lag. Dax kon niet goed zien of de jongen wakker was of sliep. Daarom veranderde hij zich heel eventjes in een vos, want een vos heeft scherpere ogen dan een jongen. Meteen zag hij dat Luke met grote ogen naar het plafond staarde. Het is vast niet makkelijk voor Luke, dacht Dax, om hier te zijn en niet over een gave te beschikken.

16

De volgende morgen werden de ramen in hun kamer bespannen met een dikke, doorzichtige lap plastic, en werd de vloer geveegd en het beddengoed vervangen. Dat laatste hadden de schoonmakers gedaan, maar meneer Pengalleon had zelf de ramen gedaan.

'De glaszetter moet komen,' zei hij tegen Dax toen die kleren kwam halen. 'Maar het zal nog wel even duren voordat er iemand komt. Het bedrijf moet eerst worden gecheckt.' Hij zuchtte.

Dax knikte en voor de eerste keer dacht hij dat het een wonder mocht heten dat het geheim van deze school zo goed bewaard was gebleven.

'Zo, jullie hadden gisteren zeker knallende lol!'

Dax draaide zich om en zag Spook geïnteresseerd door de deurkier kijken.

'Wat is er gebeurd, Jones? Heb je in paniek geprobeerd je kop door het raam te beuken?'

Dax ging daar maar niet op in. Hij zei alleen maar: 'Dat waren mooie papegaaien, Spook. Maar die glitter is een beetje te veel van het goede. Mijn zusje zou het echter prachtig vinden. Treed je op voor kinderpartijtjes?'

'Kom op, jongens,' zei meneer Pengalleon toen hij klaar was met het laatste raam.

'Ooit zal de lach van je schriele snuit verdwijnen,' zei Spook. 'Wat wil je later eigenlijk worden? Rattenvanger?'

Met die woorden sloeg hij de deur dicht voordat Dax iets lelijks terug kon zeggen.

Eerlijk gezegd had Dax daar de puf niet eens voor. De gebeurtenissen van de vorige dag en de ongemakkelijke bank hadden hem uitgeput.

Bij het ontbijt wilden Mia, Catherine en Jessica Moorland precies weten wat er was gebeurd. Zelfs Jennifer Troke, een schoneschijner die zich net als Barry kon laten verdwijnen, verscheen ineens naast hem en wilde er alles over horen. Gideon en Barry vertelden over het lawaai, de wind en hun enorme schrik. Barry beschuldigde Gideon er nog steeds van dat hij iets had uitgehaald met de ruiten.

'Je wilde het glas laten buigen, hè?' zei Barry, maar het klonk al iets minder beschuldigend omdat hij nu eieren met spek naar binnen had gewerkt.

'Nee, dat wilde ik helemaal niet!' hield Gideon vol. 'Dax, vertel het hem — ik sliep toch?'

Dak keek op en knikte. Daarbij ontmoette hij Gideons blik, en toen gebeurde er iets vreemds, want Gideon herinnerde zich dat ze ruzie hadden en wist niet meer of ze het al hadden goedgemaakt. Dax besefte dat, want zelf dacht hij daar ook aan. 'Hij sliep,' bevestigde hij. 'Hij was helemaal uitgeteld.'

Met een grijns zei Gideon: 'Zie je nou wel?'

'Maar je zou het tóch kunnen hebben gedaan,' merkte Catherine op. 'In je droom.' Ze laste een dramatische pauze in. 'Wie weet?' Ze ging achter Gideon staan en drukte haar handen tegen zijn slapen. 'Je bent zo begaafd dat je misschien onbewust energie laat vrijkomen. Fantástisch! Ik wilde maar dat ik ook over zo'n krachtige gave beschikte... Wat je dan allemaal zou kunnen doen...'

Gideon glimlachte een beetje beverig. 'Ja, stel je voor.' Niet op zijn gemak keek hij om zich heen en zei toen wat Dax ook al had gedacht. 'Zo geweldig is het eigenlijk niet.

Het zou beter zijn als niet iedereen het weet. Straks vinden ze me nog een gevaar!'

'Ik neem je geheim mee het graf in,' fluisterde Catherine. Vervolgens nam ze gracieus plaats naast Gideon. Luke moest een eindje opschuiven om plaats te maken voor haar.

De kan met melk zweefde naar Catherine toe en bleef toen abrupt hangen, waardoor er een beetje melk op het tafelkleed terechtkwam.

'Zeg, je kunt beter niet oefenen buiten de les Ontwikkeling,' zei Mia tegen Catherine. 'Straks ziet iemand het en dan krijg je van meneer Eades de wind van voren. Bewaar je kunsten maar voor bij Ontwikkeling.'

Catherine keek Mia stralend aan. 'Je hebt groot gelijk,' zei ze terwijl ze melk over haar cornflakes schonk. 'Je hebt het beste met me voor, hè? Ik wilde dat ik niet alleen een broer had, maar ook een zusje. Jij bent precies het zusje dat ik graag zou willen.'

Er viel een korte stilte. Dax wist niet zeker of iemand anders het ook had gemerkt, maar Catherine had Luke compleet genegeerd. Als Luke dat ook was opgevallen, liet hij dat niet blijken.

Het bekertje yoghurt bij het ontbijt was niet voldoende geweest, merkte Dax later. Tijdens scheikunde knorde zijn maag.

'Ben je een experiment aan het doen?' vroeg meneer Buckley spottend terwijl hij een beetje kaliumpermanganaat pakte om de klas te laten zien hoe explosief dat goedje was.

'Sorry,' mompelde Dax. De klas giechelde. 'Ik heb gewoon honger.'

'Nou, zorg dat je niet ontploft,' reageerde meneer Buckley. 'De afgelopen vierentwintig uur is er al genoeg kapotgegaan, heb ik gehoord.'

Tussen de middag ging Dax naar de eetzaal om te kijken of er iets was wat hij veilig kon eten. Misschien een hardgekookt ei of iets wat verpakt was, of... Maar hij wist dat het zinloos was. Mevrouw Polruth was er trots op dat ze uitsluitend verse ingrediënten gebruikte. Deze keer had ze een mediterrane groenteschotel gemaakt en gepocheerde forel met lente-uitjes. Het rook heerlijk en Dax was uitgehongerd, maar toen hij naar de leerlingen keek, stond zijn besluit vast. Ze waren dan wel niet met hun gezicht op het bord in slaap gesukkeld, maar iedereen zag er volkomen uitgeput uit. Barry en Luke zaten naast Gideon te eten, maar ze zeiden niets en keken ook niet op van hun bord.

Natuurlijk was Catherine zoals gewoonlijk extreem levendig. Ze liep tussen de tafels door met haar bordje vis, lachte naar iedereen en knoopte gesprekjes aan. Terwijl ze langsliep, keek iedereen even op. Misschien had zij er minder last van omdat ze hier nog maar net was, dacht Dax.

Jessica en Jennifer zaten zachtjes met elkaar te praten terwijl ze futloos hun eten naar binnen werkten. Jessica moest steeds geeuwen.

Plotseling nam Dax een besluit en liep naar hen toe. 'Jessica, heb jij de laatste tijd nog interessante berichten doorgekregen?' vroeg hij terwijl hij ging zitten.

Jessica en Jennifer keken elkaar aan en wierpen hem vervolgens een blik toe die hem duidelijk moest maken dat hij een typisch meidengesprek had onderbroken.

'Niks voor jou, hoor,' zei Jessica bits.

'Ik bedoelde ook niet of het voor mij was, maar meer in het algemeen,' zei Dax.

'Dax, je weet toch dat ik niets mag vertellen over berichten aan anderen?' reageerde Jessica. 'Ik geef alleen berichten door op zo'n roze briefje, gelezen en afgetekend door een leraar.'

Dax kwam in de verleiding te zeggen dat ze haar roze

briefjes – en haar hoofd – maar in een roestige emmer moest stoppen. Maar in plaats daarvan haalde hij diep adem. 'Ik wil graag weten of je veel boodschappen doorkrijgt op dit moment.'

Eindelijk leek het tot Jessica door te dringen dat hij het meende. 'Hoezo? Waarom wil je dat weten?'

Hij merkte dat ze zijn gedachten probeerde te lezen, want dat kon ze een beetje. Niet erg goed, maar soms lukte het haar aardig.

'Och, ik ben gewoon nieuwsgierig,' zei hij. 'Ik wil weten of de MRI-scan of het bloed afnemen invloed heeft gehad.' Zelf vond hij dat het aardig overtuigend klonk.

'Of dat er misschien iets in het water zit,' voegde Jessica er met een grafstem aan toe. Toen giechelde ze. 'Ik heb wel gehoord dat je een theorie hebt, hoor.'

Jennifer lachte nu ook.

Dax werd kwaad. Dat had Gideon natuurlijk overal rondverteld. Nou, van een verzoening met Gideon kon nu geen sprake meer zijn. Boos beende Dax weg. Hij wist dat hij gelijk had. Er was iets niet in orde. Oké, het kon best niets met het eten of het water te maken hebben, maar daar wilde hij eerst helemaal zeker van zijn. Waarom had niemand anders door dat er iets niet klopte? Het was toch duidelijk?

Toen hij over het gazon liep, hoorde hij voetstappen achter zich. Hij ging op de rand van de fontein zitten en even later plofte Jessica naast hem neer.

'Wil je me nog meer uitlachen?' vroeg hij kwaad.

Jessica glimlachte en boog zich naar hem toe. 'Nou, ik wil je eigenlijk iets vragen,' zei ze zacht. 'Voordat je bij ons kwam zitten, had ik er niet echt over nagedacht, maar nu...'

'Wat is er dan?' vroeg Dax achterdochtig. Hij was nog steeds bang dat ze hem wilde pesten.

'Nou, ik krijg helemaal niks meer door.'

Verbijsterd keek Dax haar aan en hij zag dat ze zich echt zorgen maakte. 'Helemaal niks meer?'

'Nou, niet echt helemaal niets, maar veel zwakker, moeilijk te verstaan. Het is nog maar een paar dagen, hoor. En de ene keer gaat het beter dan de andere. Het lijkt een beetje op een tv met een slechte ontvangst... Waarschijnlijk heeft het niks te betekenen. Catherine zegt dat het wel iets met hormonen te maken zal hebben.'

Dax vertrok zijn gezicht.

'Nou, je weet toch dat meisjes daar eerder last van krijgen dan jongens,' ging ze verder. 'En Catherine komt uit Amerika en daar is geen onderwerp taboe. Zij denkt dat het daaraan ligt. Misschien is dat ook wel zo.'

'Ben je erg moe?' vroeg Dax, die het liever niet over vrouwelijke hormonen wilde hebben.

'Soms. Dat zal ook wel aan de hormonen liggen,' zei ze. 'In elk geval spijt het me dat ik je heb uitgelachen, Dax. We mogen je graag en het was niet onze bedoeling je voor gek te zetten.' Ze stond op en liep terug naar de eetzaal, waar Jennifer afwezig door het raam zat te kijken.

Dax voelde zich erg moe. Hij had er genoeg van steeds te moeten rondlopen zonder Gideon. Hij had er genoeg van om steeds zo achterdochtig te zijn. Hij was moe en hij had honger. Dax wilde het niet graag toegeven, maar hij wist wat hem te doen stond. Dat had hij al een poosje geweten, en hij besefte dat het vandaag moest gebeuren.

Het was stil in het bos. In de namiddagzon hing er een slaperige sfeer. Geluidloos kroop hij onder het lage struikgewas door, glipte langs de ernorme brandnetels en sloop om omgevallen boomstammen heen. Hij liep zijn neus achterna. Als vos kon hij helder denken. Hij volgde het geurspoor.

Aan de westelijke rand van het bos groeiden minder bomen, en de heide en het mos vormden een zacht tapijt onder de gevallen bladeren. Hier liep het terrein aan zijn linkerkant glooiend naar de zee en rechts naar een rotsige heuvel, waar slechts een paar bremstruiken het uithielden in de eeuwige zeewind. Door een smalle vallei liep een slingerend kiezelpad, over de verraderlijke groene laag op het moeras waarin Caroline Fisher vorig jaar bijna was verdronken. Dichter bij de bomen groeiden heideplanten en mos en dun, hoog gras in pollen. Hier bevonden zich ook vele prachtig ronde ingangen van konijnenholen, met heerlijk mollige konijnen erin.

Dax lag in de hei te wachten. Al een poosje had zich niets bewogen, want de konijnen hadden hem gehoord en zich verstopt. Maar na een poosje kwamen ze toch weer tevoorschijn en na verloop van tijd zaten er een stuk of zeven nietsvermoedend te knabbelen. Dax had ze goed in het vizier. Hij richtte zijn aandacht op het konijn dat het dichtst bij hem in de buurt zat. Hij spande zijn spieren en zijn hart ging sneller slaan. De adrenaline werd door zijn aderen gepompt. Alles rondom het konijn vervaagde, hij had zijn doelwit goed voor ogen. Dat was het moment waarop Dax het konijn besprong.

Het konijn probeerde te vluchten, maar Dax had het al te pakken.

Dax proefde de vacht in zijn bek, hij voelde het konijn trillen. Een ferme beet, een warme, zoetige smaak en het was voorbij.

Later, toen hij weer Dax de jongen was, wilde hij liever niet denken aan zijn eerste echte vossenmaaltje. Intuïtief had hij geweten welke stukken hij moest verorberen en wat hij moest laten liggen voor aaseters. Na afloop was hij langzaam het bos in gesjokt, met een tevreden en ook angstig gevoel. Vervolgens had hij zich opgekruld onder de stam van een omgevallen eik, waar het nog rook naar de dassen die daar de vorige nacht naar voedsel hadden gezocht. Bijna meteen was hij in slaap gevallen, met zijn staart keurig om zich heen geslagen.

17

'Zo, zet daar je tanden maar eens in,' zei Owen met een grijns. Hij gaf Dax een in vetvrij papier verpakt, zwaar pakje. Er zat een grote pastei in, met een glanzende korst.

Dax herinnerde zich met een lach dat Gideon en hij Marguerite hadden geplaagd over pasteien, toen ze nog bij Lisa logeerden. Ze hadden gezegd dat in Cornwall de beste pasteien werden gebakken, en Marguerite had dat als een grote uitdaging beschouwd.

'Moet ik hem delen met Gideon?' vroeg Dax. Hij was dolblij dat hij nu iets te eten had wat niet op school was bereid.

'Nee, hij heeft ook zo'n pastei gekregen,' antwoordde Owen. 'Volgens mij is Marguerite zo iemand die aan het bakken slaat wanneer haar iets dwarszit. Toen ik daar was, is ze nauwelijks de keuken uit gekomen.'

'Hoe gaat het met Maurice?' vroeg Dax toen Owen de deur van zijn huisje had dichtgedaan en ze samen over het rotsige pad naar het gazon liepen.

Owen was nog maar een uurtje terug toen Dax hem wilde vragen hoe de zaken ervoor stonden. Net op dat moment was Owen met zijn pasteien naar buiten gekomen.

'Maurice is weer thuis, in het gips. Hij moet veel pijnstillers slikken, maar het komt helemaal goed met hem. Hij is tegen een kleine vrachtwagen gebotst, op een van die kronkelwegen bij zijn huis. Waarschijnlijk zou hij daarbij zijn omgekomen als hij niet een paar tellen voordat hij de hoek omsloeg Lisa zijn naam had horen roepen. Als hij op dat moment het stuur niet een ruk naar links had gegeven, zou hij zijn vermorzeld. De vrachtwagenchauffeur had gedronken én zat in zijn mobieltje te praten. Ik heb gehoord dat hij alleen zijn knie heeft geschaafd.'

'Dus Lisa heeft haar vader gered?' vroeg Dax diep onder de indruk.

'Daar lijkt het wel op. Handig, hoor, die voorgevoelens.'

Verwonderd schudde Dax zijn hoofd. Omdat het toch een beetje griezelig was, gingen zijn nekharen overeind staan. Hij miste Lisa nu al. Zij was waarschijnlijk de enige die hem zou willen geloven als hij over het eten en het water vertelde, en nu was ze er niet.

'Wanneer komt Lisa terug?' vroeg hij. Het viel hem op dat Owen nieuwsgierig naar hem keek toen ze over het stenen bruggetje de beek overstaken.

'Ze komt eind van de week weer hier. Zeg, Dax, wat zit er in je haar?'

Dax voelde in zijn haar en merkte toen dat er achter zijn linkeroor een paar harde plukken zaten. Meteen wist hij wat het was. Hij vroeg zich af of het anderen ook was opgevallen tijdens de twee uur die hij nu al terug was uit het bos. Maar tijdens aardrijkskunde en wiskunde had niemand er iets van gezegd.

'Het is bloed, hè?' zei Owen. 'Heb je je hoofd gestoten aan een rotsblok?'

'Dat moet haast wel,' zei Dax blozend. Met zijn blik op de pastei gericht liep hij verder, zoekend naar een ander onderwerp om over te praten.

Bij de rand van het gazon gekomen bleef Owen ineens staan en keek Dax nadenkend aan. 'Vertel het me maar als je daar klaar voor bent, Dax,' zei hij uiteindelijk. Vervolgens liep hij weg om Gideon te gaan zoeken.

Beschaamd keek Dax naar de grond. Owen wíst het. Misschien had Owen wel verwacht dat het ooit zou gebeuren, maar toch was het niet iets wat je aan een leraar wilt vertellen. Zo van: meneer, ik heb voor het eerst een konijn de kop afgebeten...

Dax was erg blij met de pastei.

Het avondeten was weer net zo saai als de lunch en het ontbijt eerder die dag. Dax had wel op tafel willen springen en gillen: word toch eens wakker en luister naar mij! Vinden jullie het dan niet raar?

Maar omdat hij wist dat hij toch al stiekem werd uitgelachen, deed hij dat maar niet. Per slot van rekening moest hij eerst zekerheid hebben en bovendien volgde iedereen gewoon de lessen en deed wat ze altijd deden. Ze waren alleen maar een heel stuk rustiger. Vooral Gideon en Mia leken doodmoe.

Dax haalde diep adem en ging bij hen aan tafel zitten. Luke was nog bezig op te scheppen, samen met Catherine. Barry was er niet. Dax zag hem nergens. En omdat Dax uitstekend kon ruiken en horen, wist hij dat Barry zich niet onzichtbaar had gemaakt en toch in de buurt was.

'Nou, allemaal even opgewekt, hè?' zei Dax.

Mia glimlachte flauwtjes en liet de soep van haar lepel glijden en Gideon bromde iets met zijn mond vol boterham met ham.

'Gaan we allemaal naar Catherines nachtelijke picknick?' fluisterde Dax. 'Denk je dat je uit bed kunt komen, Gideon?'

Een beetje beledigd ging Gideon rechtop zitten. 'Natuurlijk kan ik dat! Als er maar niet weer iets gebeurt zoals afgelopen nacht! En jij, Mia?'

Mia geeuwde en rekte zich sierlijk uit. 'Als ik vroeg naar bed ga, ben ik straks zo fris als een hoentje,' zei ze.

Maar Dax dacht dat Mia beter een paar dágen zou kunnen slapen om weer helemaal fris te zijn. Mia was nog bleker dan anders en ze had kringen onder haar ogen.

'Je bent moe, hè?' vroeg Dax ernstig. 'Jij ook al... Zou je niet...'

Mia legde haar hand op zijn arm. 'Ja, ik ben moe, Dax. Ik heb helende krachten naar Maurice gestuurd, en ik maak me zorgen over Lisa. En over jullie twee.' Ze keek Gideon boos aan. 'Dus is het niet verwonderlijk dat ik moe ben. Bovendien heb ik Catherine geholpen met wiskunde, en dáár ben ik het meest moe van geworden!' Ze lachte zuur.

Catherine, die er net aan kwam met haar bord, keek ontzet. 'O wauw, maar dat spijt me verschrikkelijk. Ik had het je nooit moeten vragen,' zei ze. Met een ernstige uitdrukking op haar gezicht pakte ze Mia's hand. 'Zeg alsjeblieft niet dat je genoeg van me hebt... Jullie allemaal!' Schuldig keek ze van de een naar de ander. 'Ik weet best dat ik behoorlijk hyper kan zijn en dat anderen daar uitgeput van raken. Mijn laatste adoptiefmoeder zei dat ik haar de dood injoeg!' Er volgde een ongemakkelijke stilte, want minstens twee personen aan deze tafel wisten dat die adoptiefmoeder inderdaad was gestorven. 'Nu ja,' ging Catherine verder, 'ik ratel maar door, dat weet ik zelf ook wel. Ik vind het helemaal niet erg als jullie zeggen dat ik mijn kop eens moet houden en jullie een poosje met rust moet laten. In de kindertehuizen deden ze dat ook. Hé, Luke!' Ze richtte zich tot haar broer, die net een stoel aanschoof. 'Je moet zeggen dat ik mijn kop moet houden als ik je de oren van je hoofd klets, hoor.'

'Oké,' mompelde Luke. 'Hou je kop, Catherine.'

Ze beet op haar lip, richtte haar blik op haar bord en begon in stilte te eten. Niemand zei iets. Uiteindelijk was het Luke die de stilte verbrak. 'Zeg, het was maar een grapje, hoor. Enne...' Op fluistertoon ging hij verder: 'Hoe zit het met de nachtelijke picknick?'

'O wauw, het wordt fantástisch!' riep Catherine uit. Ze liet haar lepel in haar bord kletteren, zodat ze opgetogen in haar handen kon klappen. 'Ik heb heerlijk eten, een deken om op te zitten en iets te drinken. En Gideon heeft me een pastei gegeven.'

'Dax,' zei Gideon, 'jij kunt de jouwe toch ook meenemen?'

Dax knikte. Hij was van plan geweest zijn pastei in elk geval vast gedeeltelijk op te eten, maar hij had nog geen honger na zijn lunch in het bos. Met een weemoedige blik keek hij naar Gideon. Hij had zijn beste vriend dolgraag over het voorval in het bos willen vertellen, maar dat kon niet. Dus trok Dax maar weer een pakje crackers met smeerkaas open en stak een rietje in een pakje melk. In elk geval kreeg hij voldoende calcium en eiwitten binnen.

'Hè? Wat doet hij hier?' sputterde Gideon.

Voor hen uit liep Spook over het maanverlichte pad, gearmd met Catherine.

'Niet zo lelijk doen, hoor,' zei Mia. Ze huiverde, ook al had ze over haar pyama een dikke joggingbroek en een badjas aangetrokken. 'Catherine heeft hem vanmiddag uitgenodigd. Volgens mij weet ze niet dat we niet zo best met hem kunnen opschieten.'

'Niet met hem opschieten? Dat is wel erg zwak gezegd,' reageerde Gideon.

'Och, je kunt soms best met hem lachen,' zei Barry, die met de mand vol lekkers achter hen liep. Op de een of andere manier had Catherine mevrouw Polruth overgehaald hun een paar cakes te geven en een paar blikjes limonade uit de keukenkast, hoewel ze die eigenlijk niet mochten. Ook de pasteien van Dax en Gideon zaten in de mand, net als een mes om ze te snijden en papieren servetjes om de stukken rond te delen.

'Vorig jaar heeft hij geweldig vuurwerk laten zien,' zei Barry tegen Luke. 'Samen met de andere illusionisten. Schitterend gewoon. Hij vindt zichzelf geweldig.' Hij zette zijn borst op, maar struikelde vervolgens bijna over een steen, en dat deed het stoere effect teniet. 'Maar eigenlijk doet hij geen echte schoneschijn. Ik denk dat hij er een lief ding voor over zou hebben om ook te kunnen verdwijnen.'

Ze gingen naar een plekje aan de rand van het sportveld dat beschut lag voor de zeewind. Daar spreidde Catherine de geruite deken uit op de grond. Ze legde ook een paar strandmatjes neer. Vervolgens ging iedereen om de mand heen zitten en keken ze elkaar een beetje verlegen aan. Ze droegen allemaal een pyjama en een badjas. Het was warm voor april en Catherine was in haar element. Ze haalde het deksel van de mand en haalde er een fles uit waar een rood drankje in zat. Vervolgens schonk ze de bekertjes vol.

'Dit heb ik meegenomen uit Amerika,' vertelde ze opgewekt. 'Het is ontzettend lekker. Je proeft echt de kersen. Kom op, laten we proosten. Op ons!'

Ze mompelden niet op hun gemak: 'Op ons.' Vervolgens leegden ze hun beker. Mia begon te hoesten en Spook lachte kakelend.

'Catherine!' Mia staarde het meisje aan. 'Er zit alcohol in!'

Catherine trok een pruillip en lachte toen ondeugend. 'Misschien zit er een beetje alcohol in,' gaf ze toe, 'maar dat is om het goed te houden. Nog een bekertje?'

Ze keken elkaar allemaal aan en toen stak Spook zijn lege bekertje uit. 'Schenk maar vol, Catherine! Ik kan er wel tegen, maar je broers misschien niet.'

Onmiddellijk staken Gideon en Luke hun bekertjes ook uit en zelfs Dax kwam hoofdschuddend tot de conclusie dat nog een bekertje niet zo erg zou zijn. Er zat niet meer alcohol in dan in een breezer. Ook Barry en Mia dronken hun bekertje leeg en lieten Catherine ze weer vullen.

De pastei, waar veel vlees in zat, was verrukkelijk. Dax had zo'n honger dat hij bijna kreunde van opluchting. Het kostte hem moeite om de cake te weigeren, maar dat moest hij toch doen. Door het eten en drinken raakte iedereen in een opperbeste stemming en Catherine was een uitstekende gastvrouw die de anderen aanzette tot het vertellen van grappige verhalen.

'Weet je nog dat je bijna werd gesnapt met die zwevende kikker, bij de oude trog in het dorp?' vroeg Barry grinnikend, met zijn mond vol bananencake. 'Ik hád het niet meer!' Hij boog zich naar Catherine en vertelde: 'We waren bij de snackbar en toen zei Dax dat er een kikker in de trog zat, dus gingen we kijken en Dax moest echt moeite doen de kikker niet op te eten, en...'

'Barry!' viel Dax hem in de rede, al moest hij er wel om lachen. 'Ik heb nog nooit een kikker opgegeten, alleen kevers en spinnen en...' Zijn stem stierf weg toen hij aan zijn lunch dacht.

Maar Catherine had haar hand al voor de mond geslagen en zette grote ogen vol afschuw op. 'Nee toch! O wauw, heb je dat echt gedaan?' vroeg ze ontzet, maar wel lachend.

'Alleen wanneer ik een vos ben,' antwoordde Dax met een grijns. Hij schaamde zich wel een beetje. 'Dat komt door het vosseninstinct. Het is net zoiets als Gideon die zonder het echt te merken steeds weer chocola in zijn mond stopt.'

'Nou ja,' zei Barry, die verder wilde vertellen, 'we stonden dus bij de trog naar die kikker te kijken en Dax deed zijn best hem niet op te eten en toen ging de kikker kopjeonder zodat we hem niet meer goed konden zien, dus toen bracht Gideon hem weer naar boven.'

'Zodat we er beter naar konden kijken,' verdedigde Gideon zich. 'En het was maar een paar centimeter boven het water.'

'En die kikker,' zei Barry snikkend van het lachen, 'die kikker keek toch zo verbaasd! Ik wist niet dat een kikker verbaasd kon kijken, maar deze kon het in elk geval wel. We moesten allemaal verschrikkelijk lachen, en toen...' Gideon nam het van hem over. 'Nou, toen dacht ik dat de kikker wel een vluchtje zou willen maken, dus liet ik hem ronddraaien, eerst heel langzaam, maar toen steeds sneller en hoger. Dax en Barry konden bijna niet meer van het lachen en daar kan ik nooit tegen.'

'Die kikker draaide daar maar een beetje en hij begon er nogal ongerust uit te zien, toen we ineens een stem achter ons hoorden. "Zoiets doe je niet met een dier." Er stond een jongetje van een jaar of zeven achter ons, met een ijsje in zijn hand en een strenge blik in zijn ogen.'

'En toen viel de kikker met een plons in het water,' ging Gideon verder. 'En wij keken allemaal heel onschuldig. Dat jongetje rende naar zijn moeder en zei: "Mam, die jongens laten kikkers in de lucht zweven!" En toen...' Gideon kon even niet verder vertellen omdat hij zo moest lachen. 'En toen gaf ze hem een draai om de oren en zei: "Ik heb schoon genoeg van al jouw verzinsels. Vandaag mag je geen tv meer kijken!" En ze trok hem zomaar weg. De arme jongen!'

Iedereen brulde het uit. Barry sloeg op de grond, Mia verslikte zich in een hap cake en zelfs Spook moest de tranen uit zijn ogen vegen.

'O, Gideon, stel je voor dat een leraar dat had gezien!' merkte Mia giechelend op.

Catherine haalde nog een flesje kersenlikeur uit de mand en iedereen juichte. Voor de eerste keer in dagen voelde Dax zich ontspannen. Kijk nou eens, dacht hij, we hebben allemaal lol. Hij begon al te denken dat hij zich voor niets zorgen had gemaakt.

Ze dronken allemaal nog een bekertje en vervolgens deed Spook schoneschijn.

Dax deed net alsof hij alles kon zien, geholpen door Gideon, die fluisterde: 'Dansende kikkers met een roze rokje aan.' Dax klapte net zo hard als de anderen toen Spook klaar was en een sierlijke buiging maakte.

Verbaasd keek Spook hem aan.

Dax haalde zijn schouders op en zei: 'Rustig maar, ik doe gewoon aardig.'

Er werden nog meer verhalen verteld. Sommige waren grappig, andere niet. Dax en Gideon vertelden Catherine in het kort wat er was gebeurd toen Dax nog maar net op school was, dat hij die verslaggeefster had gered en dat Patrick Wood was gestorven.

'O wauw, jullie hebben allemaal zulke fantástische avonturen beleefd,' verzuchtte Catherine. Ze sloeg haar armen om Gideon en Mia heen, die aan weerskanten van haar zaten. 'En ondertussen zat ik op een heel gewone school en ging ik shoppen in het winkelcentrum... En nu ben ik hier! Ik wil óók avonturen beleven! Ik haal jullie nog wel in, hoor. Dax, Luke, Gideon, Barry, ja, en jij ook, Spook, het is fantástisch dat jullie zo goed met elkaar kunnen opschieten. Ik heb een hekel aan ruzie. Toe, doe het voor mij, een hele grote groepsknuffel!'

Dax en Gideon wisselden een ontzette blik uit, maar Barry kroop al naar Catherine toe en sloeg zijn armen om de anderen heen. Spook haalde zijn schouders op en legde zijn ene arm om Barry en de andere om Mia. Dax was van plan tegen Gideon en Mia te gaan leunen, maar deed dat toch maar niet. Hij schaamde zich een beetje, maar gelukkig waren de anderen zo bezig met de groepsknuffel dat hij hoopte dat niemand had gemerkt dat hij niet meedeed, vooral Catherine niet. Luke leek het ook niet erg prettig te vinden, maar hij deed wel mee en daardoor kwam zijn bril scheef te staan. De groepsknuffel eindigde in een ongemakkelijke stilte, toen snoof Gideon en barstte iedereen in lachen uit. Vervolgens gingen ze weer gewoon zitten in het vochtige gras.

'Wie weet er nog een goed verhaal?' vroeg Catherine lachend. 'O nee, ik weet iets anders! Dax, verander je eens in een vos? Doe het voor mij? Toe?' Ze pakte hem beet en sloeg haar armen om zijn hals. 'Kom op!' vleide ze. 'Doe het voor mij.'

Dax knikte. Hij voelde zich niet op zijn gemak, waarschijnlijk omdat Spook erbij was, en probeerde bij Catherine weg te schuiven voordat hij zou veranderen.

Maar ze hield hem stevig vast. 'Nee, niet weggaan, ik wil voelen dat je huid in een vacht verandert.'

Geschokt keek Dax haar aan. 'Ik... ik weet niet of ik het wel kan, met iemand die om mijn nek hangt,' zei hij. Dat was niet helemaal waar, maar de enige keer dat dat was gebeurd, was het een kwestie van leven of dood geweest.

Spook lachte onaangenaam. 'Nee, daar heb je de ruimte voor nodig, hè Jones?'

Verwonderd keek Dax naar hem. Na de gezellige sfeer van daarnet was het alsof Spook een emmer ijskoud water over hem uitstortte.

'Wat bedoel je?' vroeg Catherine, die blijkbaar niet had gemerkt dat de stemming ineens was omgeslagen.

'Och, dat is weer een heel grappig verhaal. Vind je niet, Dax?' zei Spook met een grijns. 'Vertel jij het haar of zal ik het doen?'

Barry keek bezorgd. Mia stond op en pakte de restanten van de picknick in. Ze keek kwaad naar Spook, maar die zat geamuseerd naar Dax te kijken.

'Echt, Catherine, het is geweldig grappig. Dax ging als

vos uit wandelen en raad eens? Hij kwam terecht in een vossenjacht! Lachen! Hij deed het zowat in zijn broek! Hij durfde niet te veranderen in een jongen, dus moest hij blijven rennen.' Spook grinnikte vals.

Gefascineerd keek Catherine van Dax naar Spook.

Dax zat als verstijfd. Hij was kwaad en schaamde zich diep. Het was toch niet te geloven dat Spook dit als een grap beschouwde...

Gideon was met gebalde vuisten gaan staan.

'Nou,' ging Spook verder, 'en toen schoot hij een vossenhol in. Natuurlijk kwamen de honden achter hem aan, en omdat het hol zo klein was, kon Dax niet in een jongen veranderen. Daar was niet genoeg ruimte voor. Nee, hij was hard op weg om in hapklare brokken te veranderen! Au!' Spook trok een grimas toen hij door een steentje werd geraakt.

'Hou op, Spook, of ik gooi een heel rotsblok in je gezicht,' zei Gideon waarschuwend.

Spook sloeg echter zijn armen beschermend om zijn hoofd en stond op, vast van plan het verhaal tot het einde toe te vertellen aan de in hoge mate geïnteresseerde Catherine.

'Nou ja, als hij niet was gered, zou hij nu een hondendrol zijn.'

'O wauw! Wie heeft hem dan gered?' vroeg Catherine ademloos.

Iedereen zat nu net als Dax als verlamd te luisteren.

'Meneer Hind! Die goeie, ouwe meneer Hind! Die toevallig langskwam met een schep en hem uitgroef. En je zou kunnen zeggen dat ik ook een beetje de hand had in Dax' redding.'

'Jij?' snauwde Gideon. 'Waar heb je het over?'

'Hoe denk je dat ik dit allemaal weet?' vroeg Spook bits. 'Ik was erbij, stomkop. Ik heb ervoor gezorgd dat de honden de andere kant uit gingen. Ik heb de meute de andere kant op gestuurd, achter een andere vos aan, een schone-schijnvos. Toen kon die arme, doodsbange Dax de boom uit waarin hij zich huilend had verstopt. Zeg Dax, daar heb je me nooit voor bedankt.'

Als Dax eraan twijfelde of Gideon nog wel zijn vriend was, kwam hij daar nu achter. Gideon sprong over de pick-nickmand heen en liet zijn vuist hard op Spooks kin terechtkomen.

18

'Au! Au!' Gideon klemde zijn tanden op elkaar en vertrok zijn gezicht toen Dax een nat en koud lapje om zijn gezwollen vingers bond.

Dax wreef glimlachend door Gideons haar. 'Waarom heb je niet gewoon een steen op zijn kop laten neerkomen?' vroeg hij. 'Je had hem net zo goed te grazen kunnen nemen met iets anders dan je knokkels.'

'Soms is de ouderwetse methode de beste,' reageerde Gideon grimmig. 'Het is heel bevredigend om je vuisten op iemands gezicht te laten neerkomen.' Met een grijns legde hij zijn pijnlijke hand op zijn been. 'Het was geweldig, hè? Hoorde je het kraken? En die plof toen hij op de grond viel?'

'Het was top,' antwoordde Dax. 'Eigenlijk had ík dat moeten doen.' Zwijgend dacht hij aan de akelige afloop van de middernachtelijke picknick. 'Hij zal het wel overal gaan rondbazuinen, hè?'

'Wat geeft dat? Niemand zal hem geloven.'

'Waarom niet? Het was toch zo?' Dax beet op zijn lip en keek naar het nieuwe raam boven hem. In het maanlicht zag hij iets voorbijvliegen en hij voelde iets in zijn borstkas, een gevoel alsof hijzelf ook zou moeten vliegen. Hij was nog nooit ergens voor gevlucht, tot op de dag van de jachtpartij.

'Wat? Dat je doodsbang was dat je zou worden opgevreten? Jemig, Dax, wie zou daar niet bang voor zijn? Ik zou hebben gejankt, ik zou het in mijn broek hebben gedaan!' Dax glimlachte. Dat was de oude Gideon. Toch schudde hij zijn hoofd. 'Dat is het niet alleen. Trouwens, ik heb niet gehuild. Ik kon niet meer lopen en toen heb ik overgegeven tussen de struiken. Dat is het niet alleen...' herhaalde hij zacht. Toen vertelde hij Gideon over de jachthond die Spook had meegenomen naar Tregarren, en zijn eigen reactie daarop.

Gideon was ontzet. 'Hoe heeft hij die hond langs meneer Pengalleon en Barber gekregen?'

'Waarschijnlijk met een illusie of zo. Misschien was Barber er niet. Barber gaat vaak een poosje de hort op. Nou ja, ik raakte helemaal in paniek. Ik kon alleen maar stokstijf blijven zitten. Ik was zo bang dat ik dacht dat ik zou flauwvallen.' Dax verborg zijn gezicht in zijn handen. Zelfs voor Gideon schaamde hij zich.

Maar Gideon bleef heel zakelijk. 'Dat was gewoon een paniekaanval, Dax,' zei hij. 'Net zoals toen in de scanner. Ik bedoel, het is natuurlijk rot voor je,' voegde hij er snel aan toe. 'Maar als je erover nadenkt, is het heus niet abnormaal. Gewoon een reactie. Mijn tante Mary kreeg paniekaanvallen in de bus. Op een keer zat haar tasje klem tussen de deur toen ze uitstapte en werd ze een heel eind meegesleurd voordat iemand het merkte. Toen het gebeurde, bleef ze redelijk kalm. Pas veel later kreeg ze die paniekaanvallen. Jaren later. Het werd steeds erger. Op een gegeven moment hoefde je maar iets over kaartjes stempelen te zeggen of ze schuifelde al in een hoekje, met rollende ogen van angst. Dat was best gênant toen ze dat een keer op mijn vorige school deed...' Hij schudde zijn hoofd. 'Maar ik had het dan ook niet moeten doen.'

Dax keek hem verbijsterd aan. 'Jaren?' vroeg hij. 'Duurde het járen?'

Gideon haalde zijn schouders op. 'Misschien heeft ze er nog steeds last van. Ik heb haar op mijn negende voor het laatst gezien.'

Op dat moment kwamen Luke en Barry binnen. Ze hadden Catherine geholpen de mand uit te pakken. Ze gingen op bed zitten en dwongen Gideon het natte lapje van zijn hand te halen, omdat ze wilden zien wat de schade was.

'Het was echt tof,' zei Barry. 'Hij ging neer als een blok beton.' Bewonderend keek hij Gideon aan. 'Maar hij zal het je betaald zetten, dat weet je zelf ook wel. En Dax, hij heeft het nu pas echt op je gemunt.'

Gideon legde het lapje weer om zijn vingers. 'Kan hij dan nog iets zeggen? Ik dacht dat ik er wel voor had gezorgd dat hij vannacht verder zijn kop zou houden.'

'Mia heeft hem geholpen,' zei Luke.

Dax en Gideon snoven afkeurend.

'Nou ja, hij rolde kreunend rond, dus ze kon het niet helpen,' kwam Luke voor Mia op. 'Maar ze zei wel wat ze van hem dacht. Trouwens, Gideon, voor jou is het ook wel goed dat ze dat heeft gedaan. Als Spook het aan een leraar verklapt, kan hij niets meer bewijzen.'

Tevreden liet Gideon zich in de kussens zakken. 'Het was leuk, hè?' zei hij geeuwend. Hij grinnikte en de anderen grinnikten met hem mee.

Luke en Barry stapten in bed en Dax trok het dekbed over zich heen. Hij was doodmoe. Tegelijkertijd voelde hij zich blij en bezorgd. Blij omdat het weer goed was met Gideon, maar erg bezorgd vanwege de paniekaanvallen. Jaren... Kon je daar echt nog jarenlang last van hebben? Toen viel hij uitgeput in slaap.

De volgende morgen was het begin van het einde. Dat herinnerde Dax zich toen hij er later aan terugdacht. Het was alsof er een kiezelsteen van een berghelling was getrapt.

Heel onopvallend, maar niet te stoppen. Op zijn weg naar beneden zou het kiezeltje andere stenen met zich meesleuren en het resultaat zou chaos zijn.

Gideon was niet wakker te krijgen en Luke en Barry ook niet.

Tegen de tijd dat Dax hen alle drie door elkaar had geschud, trilde hij op zijn benen en was hij klam van het angstzweet. Er was iets heel erg niet in orde.

'Gideon!' riep hij weer terwijl hij aan Gideons schouder rukte en het dekbed van hem af trok.

Maar Gideon krulde zich op en mompelde met zijn ogen dicht iets onverstaanbaars.

'Gideon! Toe nou! Ik maak me zorgen. Zeg iets! Al is het maar "Rot op!"'

Gideon zei iets, maar het klonk zo slaperig dat Dax het niet kon verstaan. Wat was er toch met Gideon? Dax dacht diep na. Ze waren laat gaan slapen, maar zelf was hij op de gebruikelijke tijd wakker geworden. Waarom de anderen dan niet? Misschien... misschien... Hij dacht terug aan de picknick. Lag het aan het kersendrankje? Er had alcohol in gezeten... Zouden ze een kater hebben? Maar dat kon bijna niet, want zelf had hij er ook van gedronken. Hij voelde zich loom en onhandig, maar hij had geen kater. Hij ging op de rand van zijn bed zitten en keek naar de grond. Had hij gelijk gehad wat het eten betrof? Dat was het enige verschil tussen hem en de anderen. Daar moest het aan liggen... Hij was de enige die geen schoolmaaltijden had gegeten en hij was ook de enige die wakker was.

Snel veranderde hij zich in een vos. Vervolgens schoot hij de kamer uit en stoof door de gang, waar al andere leerlingen liepen, onderweg naar de badkamer of naar beneden voor het ontbijt.

'Hoi, Dax,' riep Alex Teller toen Dax langs hem heen

rende, maar hij vroeg niet wat er aan de hand was. De leerlingen waren nu wel gewend aan een vos in hun midden.

In de meisjesvleugel was het een heel ander verhaal. Toen hij naar binnen glipte, riep Jessica Moorland: 'Hé, hier mag je niet komen, Dax! Hier is het uitsluitend voor meisjes!'

Dax veranderde geërgerd in een jongen en snauwde tegen Jessica: 'Ik moet Mia onmiddellijk spreken. NU!'

Jessica knipperde even met haar ogen en stuurde hem toen naar boven. 'Er komt een jongen aan!' riep ze waarschuwend. 'Pas op, trek gauw iets aan!'

'O wauw, Dax. Wat is er aan de hand?' Catherine huppelde net de deur van haar kamer uit. Ze zag er verbazend uitgeslapen en energiek uit voor iemand die de halve nacht was opgebleven. Haar groene ogen fonkelden en ze had blosjes op haar wangen alsof ze had hardgelopen.

'Ik moet Mia spreken,' antwoordde hij grimmig. 'Mag ik binnenkomen?'

'Tuurlijk. Alle anderen zijn al gaan ontbijten, maar Mia ligt nog te slapen. Maak haar maar wakker.'

Dax kreeg een steek van angst. Terwijl hij naar binnen liep en Mia bewegingloos in bed zag liggen, toetste hij zijn theorie aan de feiten. Als het aan het eten lag, waarom had Catherine dan nergens last van? Misschien... misschien... Misschien bestond haar gave uit tomeloze, bovenmenselijke energie.

Met Jessica Moorland achter zich schudde hij aan Mia's schouder. 'Mia, wakker worden.'

Ze draaide zich kreunend om en leek haar hoofd te schudden.

'Is er iets mis?' vroeg Jessica bezorgd.

'Ik weet het niet,' antwoordde Dax verslagen. 'Mia! Mia, word eens wakker!'

Jessica duwde hem weg en legde haar hand op Mia's

voorhoofd. 'Ze heeft geen koorts of zo,' zei ze. Vervolgens schudde ze Mia door elkaar, maar ook daarvan werd Mia niet wakker. Jessica kwam overeind en beende de kamer uit. 'Wacht!' Even later kwam ze terug met een grote, glazen karaf. 'Dit zal wel helpen,' zei ze. Toen liet ze het water uit de karaf over Mia's gezicht druipen.

'W-wat?' Met een gil ging Mia zitten en keek verwilderd om zich heen. Haar kletsnatte haar plakte tegen haar voorhoofd en wangen. 'Wat?' vroeg ze weer toen ze Dax zag.

Hij glimlachte zuur en wees op Jessica.

'Waarom deed je dat nou?' vroeg Mia klagelijk aan Jessica.

'Dax wil je spreken,' antwoordde Jessica schouderophalend. 'En jij lag zowat in coma. Ik had dus geen keus.'

Dax ging op het bed naast dat van Mia zitten. 'Mia, je moet met me meekomen. Ik krijg Gideon, Barry en Luke niet wakker. Ze slapen net zo diep als jij daarnet nog deed. Het is onmogelijk ze wakker te maken. Er is iets heel erg mis.'

'Nou, míj kregen jullie anders wel wakker,' mopperde Mia met een blik op haar doorweekte pyjamajasje. 'Probeer de koudwatermethode ook maar eens bij hen. Ik kom wel wanneer ik droog ben.'

Tegen de tijd dat Mia in de jongensvleugel door de gangen liep en riep: 'Pas op, er komt een meisje aan. Trek iets aan!' had Dax al water over Gideon en Barry gegooid, en wilde dat net bij Luke doen.

Zijn eerste twee slachtoffers zaten rechtop in bed en keken erg beteuterd.

'Waarom deed je dat?' vroeg Gideon verontwaardigd. Hij schudde zijn hoofd en de waterdruppels vlogen in het rond.

'Er zat niks anders op,' zei Dax. Hij goot de karaf water leeg over Luke.

Luke zwaaide gillend met zijn armen.

'Sorry,' zei Dax. Hij ging zitten op zijn bed. Mia ging naast hem zitten en samen keken ze naar de drie jongens, die langzaam bij hun positieven kwamen. Toen de anderen in staat waren een normaal gesprek te voeren, zei Dax: 'We moeten praten.'

Iedereen luisterde muisstil terwijl Dax zijn theorie uit de doeken deed. Hij wachtte erop dat een van hen zou zeggen: O, dus zo zit de vork in de steel. Ik vroeg me al af waarom ik me aldoor zo rot voelde.

Luke was de eerste die iets zei: 'Maar als de regering ons allemaal laat vergiftigen, waarom is er dan niets aan de hand met Catherine?'

Dax schudde zijn hoofd. 'Dat weet ik ook niet. Misschien is ze er ongevoelig voor, zoals ik ongevoelig ben voor schoneschijn.'

Luke leek niet erg overtuigd en Gideon nog minder. 'Maar Dax, en de leraren dan? Zij eten en drinken hetzelfde als wij en zij lijken nergens last van te hebben.'

'Dat weten we niet. We weten niet hoe zij eraan toe zijn wanneer de wekker gaat,' zei Dax, die ondanks zichzelf begon te twijfelen. 'Of misschien krijgen ze toch iets anders, uit een ander blikje of zo... Ik weet het niet!' besloot hij uit zijn humeur. 'Maar jullie zijn het toch wel met me eens dat er iets vreemds aan de hand is?'

'Er gebeuren hier voortdurend vreemde dingen, Dax,' zei Mia. 'Daar is deze school immers voor?'

'Jullie geloven me niet, hè?' mompelde Dax. Diep vanbinnen voelde hij de paniek weer de kop opsteken.

'Daar gaat het niet om,' zei Mia. 'Waarschijnlijk heb je wel een beetje gelijk, want we zijn allemaal inderdaad hondsmoe. Maar het kan toch ook aan onze leeftijd liggen? Ik bedoel, al die hormonen en zo? Misschien hebben wij daar meer last van.'

Dax keek hen om de beurt aan. 'Maakt niemand zich dan zorgen?' vroeg hij zacht.

'Ik maak me steeds zorgen,' antwoordde Luke met een zucht. Hij liet zich achterover in de kussens vallen, maar kwam meteen weer overeind omdat de kussens doorweekt waren. 'Ramen die zomaar breken, ijskoud water... Ik vraag me af waarvan ik de volgende keer wakker zal worden.'

Met een zucht stond Dax op. 'Nou, tot ziens dan maar bij het ontbijt,' zei hij. Niemand zei iets toen hij de kamer uit liep.

Hij had dolgraag met Lisa willen praten, maar ze zou pas aan het eind van de middag terugkomen. Ineens kreeg hij een idee. Misschien kon hij toch met haar communiceren... Hij veranderde in een vos, klom een eindje de rotsige helling op en maakte het zich gemakkelijk op een met mos begroeide steen. Met zijn staart netjes om zijn poten geslagen zette hij zich schrap tegen de zeewind en sloot zijn ogen. Eerst riep hij haar naam, keer op keer. Het was behoorlijk gênant, want hij wist best dat ze honderden kilometers hiervandaan was.

Hij wilde het net opgeven toen hij een windvlaag voelde. Zijn nekhaar ging overeind staan en er voer een rilling door hem heen. Toen hoorde hij Lisa snauwen: *Zeg, hou eens op, ik hoor je heus wel! Wat is er?*

Hoor je me? Dax was opgetogen. Maar hij had ook gevoeld dat Lisa zich ergerde.

Ja, ik kan je heel zachtjes horen. Ik krijg er koppijn van... Wat is er nou?

Dolblij grijnsde hij. Hij had niet echt gedacht dat het zou lukken. Haastig probeerde hij onder woorden te brengen wat hij wilde zeggen. *Lisa, als je straks aankomt met de trein...* Even zweeg hij. Hij vermoedde dat ze met de trein zou komen, maar Owen kon haar natuurlijk ook met de auto komen halen.

Ja, wat dan? Het klonk een beetje bits.

182

Hij vroeg: *Komt Owen je afhalen?*

Ja, hoezo?

Wat moest hij zeggen? Op deze manier kon hij onmogelijk alles uitleggen. Ze zou er maar migraine van krijgen. *Stap pas uit de trein als je mij hebt gesproken.*

Stilte.

Lisa, heb je me gehoord? Niet uitstappen en je niet laten zien voordat ik ben ingestapt en met je heb gesproken! Het is echt heel, heel belangrijk!

Stilte. En toen: *Oké, Dax. Ik zie je straks in de trein.* En toen was ze weg. Het tintelende gevoel dat bij telepathie hoorde, verdween plotseling.

Opeens drong het tot Dax door dat hij razende honger had. Maar toen hij naar de eetzaal wilde rennen om te gaan ontbijten, herinnerde hij het zich weer. Niet op school eten, niet op school drinken. Hij keek omhoog, naar het hogergelegen bos, waarvan de boomwortels uitstaken over de rotswand. Toen hij een houtduif hoorde koeren, stond zijn besluit vast.

19

Terwijl Dax bij het avondeten een zakje chips at en hoopte dat die in orde waren, plande hij een route naar het station. Hij was zich bewust van de bezorgde blikken van Gideon en Luke, die zelf vissticks, frieten en erwtjes naar binnen werkten, en de meewarige glimlach van Mia, die een groenteschoteltje at. Dax zei maar niets meer over zijn vermoedens. Maar hij voelde zich ellendig omdat de sfeer niet meer gemoedelijk was. Het was erg fijn geweest toen Gideon Spook had neergeslagen en daarmee had bewezen dat hij nog steeds Dax' vriend was. Als alles gewoon was geweest, zou hij met Gideon praten over de jacht als vos. Het was echt verschrikkelijk dat hij het daar niet met Gideon over kon hebben. Hij herinnerde zich nog goed dat hij die duif had gevangen. Dat was zowel een griezelig als opwindend moment geweest en Dax wilde er dolgraag met iemand over praten. Hij wist ook dat Gideon er dolgraag over zou willen horen, maar ja, Luke zat aan Gideons ene kant en Catherine aan zijn andere. Gideon deed heel gewoon en zag er niet meer zo moe uit als vanmorgen. Maar hij spankelde nu ook weer niet. Ook Mia was stilletjes, en Barry zat met zijn hoofd op zijn hand geleund te spelen met zijn eten.

Natuurlijk was Catherine opgewekt en energiek voor tien. Ze had een balletje meegenomen en liet dat ondanks Mia's waarschuwing van laatst langs het plafond zweven, om de lampen heen. 'Kijk, Gideon, kijk dan!' fluisterde ze terwijl ze in Gideons arm kneep.

Gideon glimlachte vermoeid.

Luke keek ook omhoog. 'Mia zei toch dat je dat niet moest doen?' zei hij.

Catherine trok een pruillip. 'Ja, dat weet ik, maar het is zo leuk om te doen. En ik doe er toch geen kwaad mee?'

Tot Dax' verbazing keek Luke haar kwaad aan en zei: 'Nee, maar je had gezegd dat je het niet meer zou doen. Je zou...'

Op dat moment klonk er gekraak en het balletje viel plotseling naar beneden. Luke ving het handig op. Een van de bovenste ramen was gebarsten.

Catherine sloeg haar hand voor de mond en keek erg geschrokken. 'Maar ik dééd niks...' fluisterde ze. Gelukkig voor haar waren de keukenmedewerkers net bezig metalen schalen rammelend neer te zetten en hadden ze het gekraak niet gehoord.

'Doe maar alsof jullie niets hebben gezien,' zei Barry zacht.

Dax merkte dat eigenlijk niemand zich er iets van aantrok, afgezien van Luke, die een rode kop had gekregen. Hij voelde zich duidelijk verantwoordelijk voor zijn zusje.

Maar met dit voorval hield het niet op. Spook had Dax al de hele dag kwaad aangekeken en Dax vroeg zich of op welke manier Spook wraak wilde nemen. Hoewel Mia Spook had geheeld, zat er een forse blauwe plek op zijn kin, iets wat Gideon prachtig vond.

'Daar heb ík voor gezorgd,' zei Gideon grinnikend. 'Een waar kunstwerk!'

Luke grijnsde geamuseerd, keek toen weer naar zijn bord en verstarde. De kleur trok weg uit zijn gezicht.

'Wat is er?' vroeg Dax.

Gideon staarde ook naar zijn bord.

'Wat is er?' vroeg Dax weer, terwijl hij zijn lege zakje chips verfrommelde.

'Vingers,' mompelde Luke hees. 'Afgehakte vingers.'

Gideon rilde. 'Op mijn bord lopen spinnen,' zei hij. 'Grote zwarte, en ze spinnen een web over mijn frieten heen.'

Achter hen zat Spook met zijn ellebogen op tafel strak naar hen te kijken.

Gideon keek kwaad naar hem en opeens vloog Spooks bord in zijn gezicht. Er klonk een woedende kreet. Maar veel leerlingen moesten erom lachen, en de twee broers ontspanden zichtbaar. 'Nu zijn de vingers weg,' mompelde Luke, maar noch hij, noch Gideon at verder.

Dax stond op en zei dat hij in de woonkamer zou zijn. Eerder die dag had hij Owen gesproken en was erachter gekomen dat Lisa's trein om tien over vijf zou aankomen. Dus had hij nog een halfuur om zich in een vos te veranderen en naar het station te gaan. Wanneer hij eenmaal uit het bos boven de rotswand was, zou hij de regels van de school hebben overtreden en kon hij in de problemen komen, maar dat risico moest hij dan maar nemen. Toch vond hij het vervelend, want hij besefte donders goed dat mensen zoals Owen en Paulina Sartre hem vertrouwden en meer vrijheid gaven dan de andere leerlingen. Het was algemeen bekend dat hij regelmatig als vos naar het bos ging, en eigenlijk mochten de leerlingen daar niet zonder toestemming komen, ook al stond het bos op het schoolterrein. Andere leerlingen konden alleen in het bos komen als ze door het poorthuis gingen, maar Dax was een bijzonder geval. En omdat een vos nu eenmaal in een bos hoort te scharrelen, had geen leraar ooit bezwaar gemaakt. Maar als ze zouden weten dat hij verder ging dan het bos, zou het weleens afgelopen kunnen zijn met Dax' vrijheid. Gelukkig was het makkelijk om bij het station te komen. Daarvoor hoefde Dax niet in een jongen te veranderen. Hij hoefde slechts twee keer over te steken, en er was weinig verkeer. Hij stoof als een rossige pijl op het station af en was er eerder dan Owen. Lisa's trein was vroeg. Dax hoorde de rails al zingen, een teken dat er een trein aan kwam. Stilletjes glipte hij door de lage begroeiing langs de rails en keek naar het perron aan de andere kant. Op dat moment zag hij Owen het perron op lopen en op een bankje gaan zitten, met een boek. Dax dacht gespannen dat hij snel zou moeten zijn.

De trein bestond uit drie wagons, allemaal viezig na de lange rit. Piepend kwam hij tot stilstand tussen Dax en Owen in. Owen kon Dax dus niet zien. Dax hoopte dat er een raampje zou openstaan waardoor hij naar binnen kon springen, maar helaas waren ze allemaal gesloten. Dus veranderde hij zich in een jongen en rende naar de dichtstbijzijnde deur. Vanaf de rails zat de deur erg hoog, maar hij trok zichzelf op en maakte de deur open, blij dat het een ouderwetse deur met een deurknop was en niet zo eentje die puffend dichtschoof. Eenmaal in de trein liep hij snel naar links, want met zijn scherpe reukzin had hij aan die kant haar geur opgepikt. Hij kwam haar tegen terwijl ze haar weekendtas uit het rek sjorde.

'Zeg het maar,' zei ze zonder om te kijken.

De wagon was verder verlaten, maar Dax zag door het raam Owen over het perron lopen. Er kwam paniek in hem op, want hij mocht niet worden gezien.

'Wat is er aan de hand, Dax?' vroeg Lisa. Ze hing haar tas om haar schouder en keek hem verontrust aan.

'Er is geen tijd om je alles te vertellen.' Dax ging zitten en kroop in elkaar. 'Maar beloof me dat je op school helemaal niets eet of drinkt.'

Met een ongelovige blik keek ze hem aan.

'Echt, Lisa, niets eten en niets drinken! Pas wanneer we

elkaar uitgebreid hebben gesproken. Zodra je terug bent op school, zie ik je op de huilplek.'

Lisa knikte. Toen toverde ze een lach op haar gezicht. 'Dag meneer Hind, ik kom er zo aan. Even mijn spullen bij elkaar rapen.'

Owen pakte Lisa's tas aan en vroeg hoe het met haar vader ging. Zodra ze uit het zicht waren, trok Dax het raampje open. Meteen daarna ging hij op de grond liggen omdat Lisa en Owen over het perron liepen, vlak langs de wagon. Even later, toen de trein optrok, zou een passagier kunnen zweren dat ze een vos uit een raampje zag springen en verdwijnen onder een struik. Ze vertelde het aan iedereen in de wagon. Gelukkig voor Dax was ze nog maar twee jaar oud en geloofde niemand haar.

'Oké, het is laat, ik heb honger, ik zit in een ijskoude grot en ik krijg koude billen,' zei Lisa. 'Wat wil je me vertellen?'

Dax zat naast Lisa op de huilplek, die erg klein was. Vorig jaar had Dax Lisa hier voor het eerst echt gesproken. Het was een soort kleine grot, eerder een inham, waar twee kinderen net in konden zitten, onder een uitsteeksel in de rotswand; de plek lag verborgen tussen het zeegras, een meter of zo onder het hek om het sportveld. De eerste keer dat Dax Lisa daar had aangetroffen, zat ze te huilen omdat ze naar Tregarren was gestuurd. Vanaf het begin had ze het vreselijk gevonden op deze school. Daarna hadden ze de grot de 'huilplek' genoemd, ook al hadden ze er nadien nooit meer gehuild.

'Hoe voelde je je, Lisa? Toen je thuis was?' vroeg Dax.

Ze haalde haar schouders op. 'Ik maakte me natuurlijk zorgen. Er kwamen allemaal slangetjes en buisjes uit mijn vader. Natuurlijk was ik bezorgd!'

'Nee, ik bedoel hoe je je lichamelijk voelde,' zei Dax. 'Vergeleken met toen je hier was, voordat je wist dat je vader een ongeluk had gehad. Voelde je je lichamelijk anders?'

Ze keek hem met tot spleetjes geknepen ogen aan. Wat bedoelde hij? 'Ik weet niet... eh... thuis voelde ik me prima. De omstandigheden in aanmerking genomen. Ik bedoel, zodra ik wist dat mijn vader buiten gevaar was, voelde ik me lichamelijk opperbest. Ik ben een paar keer gaan paardrijden, dat was gaaf. Ik wilde maar dat mijn pony hier kon zijn.'

'Oké... Weet je nog hoe moe en uitgeput je was voordat je naar huis ging?' vroeg Dax.

'O... Ja, dat klopt. Waar gaat dit over, Dax?'

Dax haalde diep adem. Hij hoopte maar dat Lisa hem zou geloven. Toen vertelde hij haar wat er de afgelopen dagen allemaal was voorgevallen en dat iedereen zo moe was. En dat hij Gideon, Luke en Mia na de nachtelijke pick- nick nauwelijks wakker had kunnen krijgen, en dat hij vermoedde dat er iets in het eten en drinken werd gedaan. 'Dus eet ik al een paar dagen geen schoolmaaltijden meer, en volgens mij gaat het nu weer goed met me,' besloot hij zijn verhaal.

Lisa zweeg, waardoor hij bang werd dat ze hem zou gaan uitlachen, maar toen tuitte ze haar lippen, speelde met haar keurig geknipte nagels en staarde uit over zee.

'Ik wil je liever niet geloven, Dax,' zei ze uiteindelijk. 'Maar je zou weleens gelijk kunnen hebben.'

Opgelucht slaakte Dax een zucht.

'Het viel me al op toen ik weer op school was. Het lijkt wel alsof er een deken van mist over de school hangt. Ik weet niet of ik het wel zou hebben gemerkt als ik niet was weg geweest. Waarschijnlijk is die deken heel langzaam neergedaald. Iedereen is een beetje versuft. Ik krijg niet zo gemakkelijk gedachten van ze door. Niet omdat er een barrière is, maar iedereen is zo duf. Het ligt niet aan mij, want al dat gekwek van de overzijde komt wel gewoon door. Maarre... denk je echt dat ze iets door ons eten doen? Waarom zouden ze?'

'Ik weet het niet,' antwoordde Dax verslagen. Vreemd genoeg voelde hij zich beter én ellendiger omdat Lisa het met hem eens was. Het was een vreselijke gedachte dat ze allemaal werden vergiftigd. Hij was dol op Tregarren en vond het onverdraaglijk dat Caroline Fisher weleens gelijk kon hebben met haar waarschuwingen.

'Natuurlijk worden we altijd in de gaten gehouden en bestudeerd,' zei Lisa. 'Waar is die dubbelzijdige spiegel anders voor? Alsof we niet weten waarvoor die dient... Weet je, op een keer zaten er wel zés personen achter! Ze zaten allemaal te kijken en aantekeningen te maken. Weet je, Dax, het probleem is dat ze niet weten wat we zijn. Of wat we zouden kunnen dóén. Soms ben ik me bij Ontwikkeling bewust van hun angst. Niet dat Owen Hind of mevrouw Sartre bang is, maar sommige anderen wel. Degenen achter het glas, die doen het in hun broek. En dat is als ze óns bestuderen, de mediums. Kun je je voorstellen hoe ze zich voelen als ze naar de telekineten kijken? Ik maak me vooral zorgen om Gideon.'

Dax knikte. Hij was het helemaal met haar eens. Voor zover hij wist, beschikten de meeste leerlingen over onschuldige gaven. Werd hijzelf als een gevaar beschouwd omdat hij in een vos kon veranderen? De helers en mediums waren interessant en nuttig. Maar Koms die met wilskracht dingen konden verplaatsen? Misschien wel mijlen ver weg. En Koms die je in je eigen badkamer vuurwerk konden laten zien, of van een bordje friet een bordje afgehakte vingers konden maken? Koms die konden verdwijnen en weer verschijnen wanneer ze maar wilden? Ja, Lisa had gelijk. De angst van anderen vormde een grote bedreiging.

'Dus je denkt dat ik gelijk heb,' zei hij toonloos. Hij plukte gras tussen de stenen vandaan en draaide de sprieten rond tussen zijn vingers.

'Nou, je hebt gelijk dat er iets heel erg mis is. Misschien is het toeval dat er tegelijkertijd veranderingen zijn aangebracht in ons eten en drinken. Maar hoe is het met jou? Voel jij je beter nadat je hier niet meer eet en drinkt?'

'Ik voel me gewoon. Niet echt heel goed. Ik maak me voortdurend zorgen en niemand wil me geloven. Maar ik ben niet zo moe en suf als alle anderen. Nou ja, bijna iedereen. Catherine is niet klein te krijgen,' zei hij.

'Waarschijnlijk is ze nog tien keer zo erg als ze niet wordt gedrogeerd,' zei Lisa zuur. 'En de leraren? Eten die hetzelfde voedsel? Doen zij ook raar? Owen leek daarnet heel gewoon.'

'Weet ik,' zei Dax.

Lisa las zijn gedachten en zuchtte diep. 'Nee, zei ze, 'ik geloof niet dat Owen ervan weet. Zoiets zou hij nooit toestaan.'

'Nou...' Dax zocht naar een verklaring. 'Weet je, het zou een onderzoek kunnen zijn. Het kan geen kwaad, misschien willen ze alleen maar zien hoe we erop reageren.' Ineens voelde hij zich intens verdrietig. Het werd hem allemaal te veel. Als er zou zijn verteld dat het een experiment was en dat ze zich geen zorgen hoefden te maken, dat ze zich alleen maar moe zouden voelen...

'Dax?' Plotseling ging Lisa rechtop zitten, waardoor ze haar hoofd stootte tegen het plafond. 'Je zei toch dat je niets had gegeten of gedronken? Maar waarom verga je dan niet van de honger?' Met tot spleetjes geknepen ogen keek ze hem aan en fluisterde toen: 'Allemachtig...'

20

'Nou, zo gaan we het dus aanpakken,' zei Dax zachtjes toen ze naar het slaapgedeelte liepen. De lampjes langs het slingerende pad waren al aan en het schoolterrein zag er sprookjesachtig uit. Het was moeilijk te geloven dat er op zo'n mooie plek iets sinisters aan de hand kon zijn.

'Je kunt pakjes melk drinken, die worden verpakt afgeleverd, dus daar kan moeilijk mee zijn geknoeid. En ook voorverpakte koekjes en chips, als je die te pakken kunt krijgen.'

'Jammie,' zei Lisa.

'Maar voor echt eten ben je van mij afhankelijk, van wat ik tijdens de jacht kan buitmaken.'

'Getsie! Dooie konijnen? Beschimmelde duiven?'

'Die duiven zijn niet beschimmeld, hoor. Trouwens, je hoeft ze niet rauw op te eten. We kunnen een vuurtje maken en ze daarop roosteren, precies zoals Owen het ons heeft geleerd.'

'Waar dan? Waar moeten we een vuurtje maken? Ik kan niet net zoals jij naar het bos. Alleen met een pasje, en dat krijg ik vast niet elke dag. O, meneer Eades, mag ik alstublieft weer een pasje zodat ik een konijn kan slachten voor het avondeten?'

Dax lachte. Het was fijn om Lisa grapjes te horen maken. 'Maak je geen zorgen, ik weet wel een plekje. Morgen zal ik het je laten zien.'

'Ga je met Owen praten?'

'Ja, maar nu nog niet. Eerst wil ik het zeker weten. We wachten een paar dagen om te kijken hoe het met jou gaat. Dan weten we het zeker en kan ik hem erop aanspreken.'

'Oké. Ik zal ook met Mia praten, maar ik zal niets zeggen over het eten. Ik wil er alleen maar achter komen hoe het met haar gaat. Ik zie je wel bij het ontbijt waarvan we niks gaan eten.' Met die woorden verdween ze in de meisjesvleugel.

Langzaam liep Dax terug naar de jongensvleugel. Gideon zou zich wel afvragen waar Dax de afgelopen twee uur was geweest. Tenminste, Dax hóópte dat Gideon zich dat zou afvragen. Toen hij onder het rotsige uitsteeksel boven het pad door liep, rook en hoorde hij Spook Williams achter zich. Hij draaide zich om en zag Spook op zich afkomen.

Spook hield zijn handen voor zich uit, alsof hij een dienblad vasthield, en hij had een valse uitdrukking op zijn gezicht.

Dax zuchtte gelaten. Hij had helemaal geen zin in Spook en zijn onzin.

'Wat nou weer?' vroeg Dax. Hij sloeg zijn armen over elkaar en bleef in het midden van het pad staan. Misschien moest hij Spook zelf maar eens tegen de grond slaan.

Met fonkelende ogen keek Spook hem aan; om hem heen trilde de lucht.

Het drong tot Dax door dat Spook iets met schoneschijn deed, iets heel moeilijks, want het zweet parelde op zijn voorhoofd.

Dax deed zijn mond open om iets te zeggen, maar deed hem toen weer dicht. Dit was niet best.

Met tot spleetjes geknepen ogen keek Spook hem aan.

Wat moest Dax zien? Er was niemand om het hem te

vertellen. Uiteindelijk mompelde hij maar: 'Leuk hoor, Spook.' Hij hoopte dat dat de juiste reactie was.

'Vind je, jij vuilnisbakkenrasje?' zei Spook. Hij liet zijn handen zakken, keek Dax kwaad aan en toen veranderde die uitdrukking. Spook had het door... Hij staarde Dax aan, alsof hij in zijn hersenpan wilde kijken. 'Jij...' fluisterde hij. 'Je kunt niet... O, nú snap ik het!' Plotseling greep hij Dax bij de schouders en duwde hem hard tegen de rotswand. Dax slaakte een kreet van pijn. Het graniet prikte pijnlijk in zijn rug.

'Je kunt het niet zien, hè?' zei Spook, met zijn gezicht dicht bij dat van Dax. 'Kun je helemaal niks zien? Wat is er mis met je, Dax Jones? Je bent niet zoals wij, hè?'

Dax duwde Spooks handen weg en balde zijn vuisten. Maar de jongen zette snel een stap naar achteren en liet zijn handen losjes langs zijn lichaam hangen. Even leek het erop dat hij in huilen zou uitbarsten.

Hij is bang, dacht Dax verwonderd, hij is heel, heel erg bang...

'Ik kan wel zien dat je iets doet,' zei hij. 'Ik weet het wel als je iets met schoneschijn doet. Ik kan het ruiken,' zei Dax.

Spook beet op zijn lip en keek Dax aan alsof hij hem het liefst in zee zou willen gooien.

'Spook, mij kun je inderdaad niet voor de gek houden. Ik ben ongevoelig voor schoneschijn, voor mij ben je een doodnormale jongen zonder bijzondere gave. Wen daar maar aan.' Dax draaide zich om en wilde weglopen naar de woonkamer. Hij wist dat wat hij had gezegd, erger was dan Spook neerslaan. Hij was zich ervan bewust dat de jongen hem nakeek totdat de deur achter hem was dichtgevallen.

Het was stil in de woonkamer. De meeste leerlingen zaten tv te kijken, naar een soort quiz, maar Barry zat op de bank bij de haard op zijn Game Boy te spelen.

'Doet die Game Boy het?' vroeg Dax toen hij naast Barry ging zitten. Meestal deden dat soort apparaten het niet op school. Gideon zei dat dat aan alle bovennatuurlijke krachten lag.

'Ja, voorlopig wel,' mompelde Barry, die verdiept was in een gevecht met een virtuele draak. 'Maar dat zal wel niet lang meer duren.'

'Hoe lang doet hij het al?' vroeg Dax langs zijn neus weg.

'De hele dag, min of meer,' antwoordde Barry met zijn blik op het schermpje gericht.

Dax zuchtte eens. Er gebeurden dus minder bovennatuurlijke dingen. Dat was wel duidelijk. Jammer dat Barry dat niet inzag... 'Zeg, Barry, kun je heel even verdwijnen?' vroeg Dax.

Barry keek hem bevreemd aan en richtte zijn aandacht toen weer op het schermpje. 'Hoezo? Jij merkt er toch immers niks van?'

'Jawel. Ik zie je niet, maar ik kan je wel ruiken en horen. En ik zie de lucht trillen. Maar je verdwijnt wel. Toe, ik wil iets proberen.'

Barry zuchtte, zette het spel uit en verdween. Maar hij verdween niet echt. Hij werd alleen maar een beetje doorzichtig.

Dax slikte moeizaam. Hij voelde zich misselijk. Er was overduidelijk iets heel erg mis en het werd aldoor maar erger.

'Nou?' zei Barry geërgerd toen hij weer helemaal zichtbaar was geworden.

'Geweldig,' zei Dax. 'O, trouwens, Spook weet dat ik ongevoelig voor schoneschijn ben. Je had zijn gezicht moeten zien toen ik hem dat vertelde...'

'Waarom heb je hem dat aan zijn neus gehangen?' Met een frons keek Barry Dax aan. 'Ik dacht dat je dat geheim wilde houden.'

'Dat wilde ik ook, maar hij was er zelf al achtergekomen. In elk geval was die grijns van zijn gezicht.'

Een poosje staarde Barry in het vuur, vervolgens richtte hij zijn blik ongewoon ernstig op Dax. 'Pas maar op, Dax. Voor Spook. Ik bedoel, hij is natuurlijk een stomme sufkop, maar hij heeft het op jou voorzien. En op Gideon. Zorg dat je hem niet kwaad maakt.'

Het was erg prettig voor Dax dat Lisa weer aan de ontbijttafel zat. De afgelopen week waren de maaltijden bijna onverdraaglijk geworden, maar nu aten ze allebei een voorverpakt bekertje yoghurt en dronken met een rietje melk uit een pakje. Dax was nu niet meer de enige die niet at wat de school hun voorschotelde.

Gideon en Luke waren niet meer zo moe als de dag daarvoor en ze wilden weten wat Lisa thuis allemaal had gedaan. Ze toonden gelukkig weer wat meer interesse in de wereld om hen heen. Ook Mia zag er minder duf uit toen Lisa vertelde hoe het met haar vader was.

Toen ze de eetzaal uit liepen, fluisterde Dax gauw in Lisa's oor dat ze tijdens de lunch naar de huilplek moest komen.

Lisa trok een vies gezicht, maar knikte toch.

Tijdens de les hield Dax mevrouw Dann goed in de gaten. De leerlingen waren allemaal zo ontzettend duf dat het haar toch zou moeten opvallen. En tot zijn opluchting leek ze het inderdaad te merken. Een paar keer stond ze op en zette geërgerd haar handen in haar zij. Hoofdschuddend luisterde ze naar de verkeerde antwoorden die de leerlingen gaven, en met een zucht keek ze naar degenen die afwezig voor zich uit staarden.

'Wat hebben jullie toch?' vroeg ze kribbig toen de les bijna was afgelopen. 'Ik wil natuurlijk niet klagen, maar niemand heeft iets met schoneschijn gedaan, terwijl ik toch vaak met mijn rug naar jullie toe heb gestaan. Barry, Jennifer, doe me een lol en verdwijn even.'

Barry en Jennifer wisselden in verwarring gebracht een blik uit. Vroeger waren ze wel eens betrapt door mevrouw Dann en bespoten met haar spuitbus antischoneschijn: een felgroene inkt, waardoor je zichtbaar werd, ook al had je je juist onzichtbaar gemaakt.

'Toe dan,' moedigde mevrouw Dann hen aan.

Barry haalde zijn schouders op en Jennifer knikte. Even later vervaagden ze.

Dax kon hen nog goed zien, maar de anderen blijkbaar niet.

'Goed zo!' riep mevrouw Dann uit. 'Dat lijkt er meer op!' Ze keek op haar horloge. 'Nou, over een kwartiertje is het tijd voor de lunch. Tijd genoeg om een paar rondjes over het sportveld te rennen.'

Een paar meisjes kreunden.

'Nee, ik meen het, hoor! Jullie zijn allemaal verschrikkelijk duf. Eten jullie wel groenten?' zei mevrouw Dann. 'Toe maar, ga maar. Jullie hebben vandaag toch geen interesse in de geschiedenis van de Schotse huisindustrie.'

Iedereen dromde het lokaal uit. Dax knikte naar Lisa, om aan te geven dat hij haar volgens plan zou ontmoeten. Zelf bleef hij in het lokaal omdat hij mevrouw Dann nog even wilde spreken.

Mevrouw Dann stapelde de boeken op en legde ze in de bureaula. Haar glanzende haar viel voor haar gezicht. De laatste leerling trok de deur achter zich dicht.

Dax haalde diep adem, hoopte dat hij geen grote vergissing beging en vroeg: 'Wat denkt u dat er aan de hand is, mevrouw Dann?'

De lerares verstarde. Door het haar dat voor haar gezicht was gevallen, kon Dax haar uitdrukking niet zien. Ze schoof de la dicht, kwam overeind en streek het haar weg.

Daardoor kon Dax zien dat ze haar gezicht goed in de plooi hield. Ze stapte van de verhoging af en keek hem strak aan. Even vroeg Dax zich af of ze soms gedachten kon lezen. Nee, hij merkte daar niets van, hij was zich alleen bewust van haar grote mensenkennis.

'Ik weet het niet, Dax,' zei ze. 'Wat denk jij?'

Dax wist niet wat hij moest zeggen. Hij wilde eerst iets van háár horen. 'Er is iets mis, hè?' zei hij.

Met een zucht ging ze achter haar bureau zitten. 'Ik weet het niet, Dax. Ik weet het gewoon niet... Dat is het probleem met ons, gewone mensen. Hoe moeten we weten wat normaal is met jullie om ons heen? Weet je, op mijn oude school, mijn normale school, ben ik een jaar lang mentor geweest voor de kinderen. Ik kon meteen zien of een kind problemen had, of het loog of werd gepest, of dat het zelf een pestkop was. Daar was ik heel goed in. Daarom kreeg ik deze baan op Tregarren. Maar met jullie weet ik het niet. Ik kan jullie dingen leren, maar ik snap soms niks van jullie. Wat denk jij dat er mis is? Of is het normaal dat jullie zulke bijzondere dingen kunnen en daar erg moe van worden? En vergeet de hormonen na-tuurlijk niet. Daar kun je op jullie leeftijd behoorlijk last van hebben.'

'Weet ik,' zei Dax snel. 'Maar dit is iets anders. Ik denk... Ik denk dat er iets met ons wordt uitgespookt. Misschien is het een onderzoek.'

Tot zijn verbazing knikte ze. 'Ongetwijfeld,' zei ze. 'Daar-om zijn jullie hier, worden die scans gemaakt en wordt er bloed afgenomen. We willen meer over jullie weten, want we kunnen niet blijven wachten op wat er gaat gebeuren. We moeten het proberen te begrijpen. Dax, ook al heb je het gevoel dat je hier onder de microscoop ligt, vergeet niet dat je op Tregarren het veiligst bent.'

'O ja?'

Het duurde een poosje voordat ze daarop reageerde. Ze stond op en zei: 'Ik hoor niet bij de wetenschappers, Dax, dat weet jij ook wel. Ik weet niet eens waaruit de onderzoeken bestaan, maar ik weet wel dat het niet de bedoeling is dat het jullie kwaad doet. Ik zal eens met meneer Hind gaan praten. Misschien weet hij waarom jullie zo duf zijn geworden.'

Dax glimlachte flauwtjes. Hij wilde het liever niet over zijn theorie hebben. Hij wilde al weglopen, maar stelde toen toch nog een vraag: 'Mevrouw Dann, eet u altijd in de eetzaal?'

Ze hield haar hoofd schuin, net een vogeltje. 'Niet altijd. Veel leraren hebben een keukentje in hun huisje. Soms vinden we het prettig jullie niet steeds om ons heen te hebben, weet je,' zei ze. 'Waarom vraag je dat?'

'Och, zomaar,' antwoordde Dax.

'Dat meen je toch niet echt, hè?' Lisa stond met haar handen in haar zij en trok een vies gezicht.

'Stel je niet zo aan,' mopperde Dax. Hij knielde en pakte het zachte lijfje van een van de konijnen die hij zojuist had doodgebeten. Er lagen er drie op de grond van de grot.

Lisa sloeg haar armen over elkaar en keek om zich heen. 'Maar dit is helemaal top,' zei ze terwijl ze om zich heen keek in de grot, die een eindje in de rotswand liep en steeds smaller werd. Op de grond lagen kiezelstenen, brokken graniet en drijfhout dat glom van ouderdom. De grond liep een beetje omhoog en kwam bij het einde samen met het naar beneden lopende plafond. Het was er droog, maar je hoorde wel de zee klotsen.

Door de opening van de grot stroomde daglicht naar binnen, maar de grot werd ook op een andere manier verlicht. Dax had vuur gemaakt binnen een kring van stenen.

'Die stenen zijn toch niet vochtig, hè?' vroeg Lisa, die toch maar naast hem neer knielde. 'Je weet wat Owen altijd zegt over vochtige stenen rond een vuur: dat ze uit elkaar kunnen barsten.'

'Maak je maar geen zorgen,' snauwde Dax. Hij had honger en daardoor was hij uit zijn humeur. 'Ik heb ze van boven gehaald, waar de zee zelfs bij vloed niet kan komen. Ze zijn hartstikke droog.'

'Wanneer heb je deze grot gevonden?'

'In de winter,' zei Dax. 'Het verbaast me dat niemand anders hem heeft gevonden. Maar vanaf het schoolterrein kun je er dan ook niks van zien. Toen ik hem vond, was ik een vos. Later vogelde ik uit hoe je er als mens kunt komen. Als het vloed is, kun je de grot echter niet bereiken. Nou, stel het nu maar niet langer uit.'

Hij gaf haar het mes dat Owen hem had gegeven, plat van onderen, en van boven een beetje gebogen. Het was een heel scherp mes, zeer geschikt om vlees van beenderen mee te halen. Dax had ook zijn zakmes bij zich. Dat was niet echt bedoeld om er konijnen mee te villen, maar hij had nu eenmaal niets anders. Het was beter om Lisa het goede mes te laten gebruiken, want zij had maar één keertje les hierin gehad, van Owen, in de winter. En die les was haar bepaald niet bevallen.

'Ik vind dit goor,' mopperde ze.

'Als je niet durft, doe ik het wel,' zei Dax. Hij deed zijn best niet te grijnzen toen Lisa met een ruk opkeek.

'Natuurlijk durf ik het! Maar daarom hoef ik het nog niet prettig te vinden...'

Samen vilden ze de konijnen, haalden de ingewanden eruit en legden de restanten buiten, achter een steen, waar de zeevogels zich erover konden ontfermen.

Het vuurtje brandde goed, het hout gloeide rossig op. Er kwam geen rook vanaf, want Dax had precies gedaan wat

Owen hem had geleerd. Hij had uitsluitend droog hout zonder schors gebruikt.

Zwijgend regen ze de konijntjes aan spiesen van dunne, groene hazelaartwijgen en hingen ze aan twee steviger takken boven het vuur. Vervolgens sneed Dax een stuk of wat weidechampignons in plakjes, die ook boven het vuur gaar konden worden wanneer de konijnen bijna klaar waren.

'Weet je zeker dat ze niet giftig zijn?' vroeg Lisa achterdochtig.

Dax haalde een boekje met ezelsoren uit zijn achterzak. Het was een paddenstoelengids. Hij legde het boekje open op de juiste bladzij en liet Lisa de tekening vergelijken met de paddenstoelen.

Ze tuitte haar lippen en knikte. 'Oké.'

Het was een prima maaltje. Het konijnenvlees was mals. Lisa vond het een vreemd smaakje hebben, maar ze had dan ook nog maar één keer eerder in haar leven konijn gegeten, toen in het bos met Owen. Dax vond het fijn dat ze er zoveel van at, en ook van de paddenstoelen. Na het eten dronken ze het mineraalwater dat Lisa bij zich had gehad in de trein.

'Moeten we dit elke dag doen?' vroeg ze met een blik op haar horloge. De middaglessen zouden al heel gauw beginnen. 'Want het duurt allemaal behoorlijk lang. Straks zal het de anderen opvallen dat we er niet zijn.'

'We doen het totdat we weten hoe jij erop reageert,' zei Dax. 'Als jij ook moe en duf wordt, weten we dat het niet aan de maaltijden of het water ligt.'

'En als ik niet moe en duf word? Als je dus gelijk hebt? Hoelang moeten we dit nog volhouden?'

'Als ik gelijk heb,' zei Dax, en hij voelde aan de sleutel van het Uilennest die hij om zijn hals had hangen, 'hoeven we er niet mee door te gaan. Dan gaan we gauw weg.'

21

Die avond was het weer onrustig in Dax' kamer. Er zat nieuw glas in de ramen en alle glassplinters waren opgeruimd. Deze keer was het voorval echter minder dramatisch. Barry had een verschrikkelijke niesbui.

Dax schrok wakker uit een bijzonder levendige droom, waarin hij van de rotswand boven het schoolterrein was gesprongen, zich halverwege de val had omgedraaid en langzaam naar zijn kamer was gezweefd, waar hij ongedeerd aankwam. Barry niesde zo hard en langdurig dat ze er allemaal wakker van werden.

Barry stond op en stommelde rond, op zoek naar papieren zakdoekjes.

'Wat doe jij nou?' vroeg Gideon slaperig. Hij knipte het lampje op zijn nachtkastje aan.

'Hatsjoe!' niesde Barry.

Luke sjokte terug uit de badkamer en gaf Barry een prop wc-papier.

Barry ging op zijn bed zitten en snoot luidruchtig zijn neus. 'Allergie!' klaagde hij door de prop heen. 'Ik ben ergens allergisch voor! Wie heeft er iets gespoten?'

'Niemand,' zei Gideon. 'Wie gaat er nou midden in de nacht spuiten?'

'Een kussengevecht!' Beschuldigend keek Barry de jongens aan. Zijn neus was rood, zijn ogen gezwollen. 'Jullie weten toch dat ik allergisch ben voor veren!'

'Nee, we sliepen allemaal,' reageerde Gideon. 'Misschien zit er iets in de lucht, stuifmeel of zo. Dax' raam staat open.'

Dax keek omhoog. Hij herinnerde zich niet dat hij het nieuwe raam open had gezet. Het stond inderdaad stond het op een brede kier en de frisse zeewind blies naar binnen. Dax ging rechtop zitten, met een angstig gevoel. De zeewind, het zweven naar het openstaande raam...

'Zie je wel! Kijk dan!' riep Barry uit. Hij wees naar drie geelwitte veertjes op de vloer. 'Een kussengevecht!'

Dax raapte de veertjes op en gooide ze uit het raam, waarna ze door de wind werden meegevoerd.

'Geen kussengevechten meer,' mopperde Barry terwijl hij weer onder de deken kroop.

'Hou erover op, Barry,' zei Gideon geërgerd. Hij knipte het lampje weer uit. 'Ga slapen.'

Snotterend ging Barry liggen.

Ondertussen dacht Dax diep na. Waarom had hij zo'n vreemd gevoel gekregen? Waar lag dat aan? Het rare gevoel zakte alweer, en hij was bijna weggedoezeld toen hem opeens iets te binnen schoot. Alle kussens en dekbedden waren van synthetisch materiaal. Er zaten geen veertjes in.

'Ik voel me prima, ik voel me prima,' herhaalde Lisa hijgend terwijl ze langs Dax naar de eetzaal holde. 'O!' Ze draaide zich om en rende de andere kant op. 'Ik heb haar niet gezien, ik heb haar niet gezien,' zei ze terwijl ze weer langs Dax liep. 'O, ik heb iets vergeten,' zei ze harder.

Dax keek naar het pad en zag Catherine een heel eind verderop zwaaiend op en neer springen. 'Hé, Lisa! Hé!' riep ze. Dax draaide zich om en rende achter Lisa aan.

'Probeer je soms iemand te ontlopen?' vroeg hij met een grijns toen hij haar aantrof buiten de meisjesvleugel, wachtend totdat Catherine in de eetzaal zou zijn verdwenen.

'Ik heb gewoon geen zin in Knuffel,' antwoordde Lisa bits.

'Maar ik dacht dat iedereen dol was op Catherine...' reageerde Dax lachend.

'O ja, zeg, o wauw, ze is echt fantástisch. En zo leuk! Zo aardig en grappig.' Lisa deed Catherines Amerikaanse accent na. 'Wie zou haar nou niet aardig vinden?' Ze zweeg even en haalde opgelucht adem toen ze zag dat het pad verlaten was. Samen liepen ze naar de eetzaal. 'O, ze is best oké,' zei Lisa met een tersluikse blik op Dax. 'Maar ze is altijd zo... zo opgewekt. Zo hartelijk. En ze zit altijd aan je. Zeg nou maar niet dat het jou niet is opgevallen. Ze wil jou ook altijd beetpakken. Ze wil jou als donzig knuffelbeest hebben!'

'Je bent toch niet jaloers, hè?' vroeg Dax dapper. Meteen boog hij zijn hoofd om een klap van Lisa te ontwijken. 'Dat zou je wel willen, Dax! Wat gaan we eten? Voorverpakte plakjes kaas met crackers? Yoghurt? Melk? Straks verander ik nog in een wandelend zuivelproduct!'

Dax wilde achter Lisa aan de eetzaal binnenlopen, maar werd toen geroepen vanaf het gazon. Nadat hij zich had omgedraaid, zag hij Owen op zich aflopen. 'Dax, heb je even?'

Owen lachte, maar Dax zag ook nog iets anders in zijn gezicht en hij rook dat Owen gespannen was. Hij draaide zich om en liep naar zijn mentor toe over het bedauwde gras rond de fontein. De lucht leek ijl te zijn, en hij zag het water dat in het vijvertje spatte extra scherp. Zonder te weten waarom bereidde Dax zich voor op problemen.

Owen gebaarde dat Dax hem moest volgen. Ze liepen het schoolgebouw in, door de gang naar de werkkamer van Paulina Sartre. De rectrix was zelf niet aanwezig, maar Dax zag wel mevrouw Dann in de gang staan. Niet op haar gemak keek ze naar hen, en het drong tot Dax door dat ze zeker iets tegen Owen had gezegd over het gesprek dat ze met Dax had gehad. Owen deed de deur dicht en ging op een puntje van het grote eikenhouten bureau zitten. Vervolgens gebaarde hij dat Dax moest plaatsnemen op de leren bank.

'Dax, wat is er met je aan de hand?' vroeg Owen. Dat was recht voor z'n raap, maar het klonk ook een beetje gekwetst of teleurgesteld.

Dax gaf geen antwoord. Hij kneep alleen zijn ogen tot spleetjes en deed zijn best Owens gedachten te lezen.

'Hou daarmee op,' zei Owen. 'Het is niet nodig om in mijn hoofd te kijken. Als je iets wilt weten, moet je het vragen. Zijn we niet al een hele poos bevriend? Vertrouw je me soms niet? Wat heb ik gedaan dat je je vertrouwen in mij bent kwijtgeraakt, Dax?'

Dax voelde zich erg rot. Owen had helemaal niets gedaan.

'U heeft niets gedaan,' mompelde hij, met zijn blik op zijn handen gericht. 'Ik vertrouw u. Natuurlijk vertrouw ik u.'

'Nou ja, we hebben weleens eerder een akkefietje gehad, toch?' zei Owen. Hij keek naar de grond, en Dax besefte dat hij aan die afschuwelijke ogenblikken dacht toen ze vorig jaar in de werkkamer van de rector waren en Owen Dax half bewusteloos had geslagen. Dax had toen gedacht dat Owen van plan was geweest hem te vermoorden. Maar Owen had een slim spelletje gespeeld. Hij had gehoopt dat rector Patrick Wood zou terugdeinzen voor een koelbloedige moord. Het slimme spelletje had Dax bijna het leven gekost.

'Er is dus iets aan de hand,' ging Owen verder. 'Er is iets heel erg mis en je wilt me er niets over vertellen.'

Dax besefte dat hij beter wel kon vertellen wat hem dwarszat, en meteen stak hij van wal. 'Volgens mij wordt er gerotzooid met ons eten en drinken. Volgens mij doet de school dat om te zien wat het effect daarvan op ons is.

Ik denk dat iedereen daarom zo moe en duf is. Het bevalt me absoluut niet. Ik weet niet of u ervan op de hoogte bent. En als u wel op de hoogte bent en er niets over hebt gezegd, dan weet ik niet of... of...' Dax' keel voelde dichtgeknepen. Hij sloot zijn ogen en ademde langzaam in en uit om niet in paniek te raken. Hij durfde Owen niet aan te kijken, bang voor wat hij misschien zou kunnen zien.

Een poosje heerste er een diepe stilte. Toen hoorde Dax Owen opstaan en door de kamer lopen. Toen hij eindelijk durfde kijken, had Owen zijn armen over elkaar geslagen en zijn handen onder zijn oksels gestopt; een vertrouwde houding. Owen hield zijn lippen op elkaar geknepen en keek Dax aan met een mengeling van woede en fascinatie.

'Je hebt zelf de touwtjes in handen genomen, hè?' zei hij, nog steeds ijsberend door het vertrek.

Dax slikte moeizaam.

'Je bent zeker gaan jagen, hè?' vroeg Owen.

Dax keek naar de grond en knikte. Hij wist niet zeker of hij zich moest schamen of juist trots moest zijn.

'Dus in plaats van naar mij te komen en me te vertellen dat je je zorgen maakt, zoals je voor de vakantie zou hebben gedaan, zeg je niets en ga je je eigen gang. Je verandert je voortdurend in een vos en weer terug. Namen je dierlijke instincten het van je over toen je die duif of dat konijn zag? Had je daarom laatst bloed in je haar?'

Verstijfd van angst staarde Dax Owen aan. Hij kon Owens gedachten onmogelijk lezen, daarvoor was hij te erg in de war. Wat moest Owen wel van hem denken? Vond Owen dat hij te ver was gegaan?

Owen ging achter het bureau staan en sloeg er hard op met zijn handen, waardoor Dax een sprongetje maakte. 'Wat vertelt je vosseninstinct je nu, Dax? Ben ik een vriend of een vijand?'

Dax kreeg een droge mond. Hij deed zijn ogen dicht. Hij

hoorde Owen in de leren stoel gaan zitten. Toen hoorde hij dat de hoorn van de haak van het telefoontoestel werd genomen en dat Owen snel een nummer intoetste. Vervolgens hoorde hij met zijn scherpe gehoor de wachttoon en opeens een stem: 'Met Chambers.'

'Met geheim agent Hind,' zei Owen.

Verrast deed Dax zijn ogen open. Hij had Owen nooit eerder zichzelf zo horen noemen.

Even later vroeg Owen: 'Chambers, die onderzoeken op Tregarren... Is er al een uitslag?'

Dax' mond viel open. Er werd dus inderdaad onderzoek gedaan, Owen had het daarnet toegegeven! 'Fase 3? En verder? We geven ze dus geen stimulerende middelen? Zijn er nog plannen om die weer toe te voegen? O. Nee. Ik heb nog niets te melden, maar ik bel je later in de week nog. Nee, het bevalt me hier best. Je weet toch dat ik graag de zon in de zee zie zinken?' Toen lachte Owen. Hij láchte! En vervolgens hing hij op.

Met grote ogen keek Dax Owen aan.

Owen glimlachte, sloeg zijn armen weer over elkaar en stopte zijn handen onder zijn oksels. Vervolgens zuchtte hij diep. 'Je had gelijk, Dax. We rotzooien inderdaad met jullie eten en drinken. We hebben alle stimulerende middelen van het menu gehaald, zoals cafeïne en suiker. En we hebben multivitaminen, zink, calcium en visolie toegevoegd.'

'Een stomkop? Waarom denk je dat je een stomkop bent?' Lisa hield op met hardlopen rond het sportveld, wat ze bijna nooit deed voordat ze de vereiste afstand had afgelegd. Ze draaide zich om naar Dax, die zijn best had gedaan haar in te halen. Hij wilde met haar praten, maar dat kon niet goed als hij een vos was.

Dax haalde zijn schouders op. 'Ik had meteen naar hem toe moeten gaan.'

'Dax, is het ooit bij je opgekomen dat de geweldige Owen Hind misschien niet op de hoogte is van álles wat hier gebeurt?' Lisa bukte om de veters van haar linkerschoen vaster te strikken. 'Trouwens, het klopt nog steeds niet. Als er niets in het eten en het water zit, waardoor komt het dan? Heeft Owen daar nog iets over gezegd?'

'Ik heb het niet gevraagd,' moest Dax toegeven. Hij schuifelde met zijn voeten. Het was zaterdag en de twee voetbalteams, de Tigers en de Terrors, speelden een 'vriendschappelijke' wedstrijd. Maar het geschreeuw van Gideon en Spook, ieder in een ander elftal, klonk allesbehalve vriendschappelijk. 'Misschien verbeeld ik het me maar,' ging Dax verder. 'Misschien heeft het gewoon iets te maken met mijn paniekaanvallen.'

'Paniekaanvallen?' Verwonderd keek Lisa hem aan. 'Welke paniekaanvallen?'

Het drong tot Dax door dat ze daar niet van op de hoogte was. Afgemeten vertelde hij over wat er in de scanner was gebeurd, en over de hond op het sportveld. Blozend vroeg hij zich af of ze hem zou uitlachen, want Lisa stond niet bepaald bekend om haar fijngevoeligheid.

Ze lachte echter niet. Ze keek alleen maar omhoog en schudde haar hoofd, waardoor haar blonde staartje heen en weer zwiepte.

'Ben je nu helemaal gek geworden, Dax? Het is heel normaal dat je last hebt van paniekaanvallen. Vergeet niet dat ik die dag zo'n beetje in je hoofd zat, en ik was voortdurend in paniek. Je zou me hebben moeten zien...' zei ze. 'Maar dat was toen. We hebben nu met iets heel anders te maken. Want je hebt gelijk, iedereen doet raar, en dat heeft niks met jouw paniekaanvallen te maken.'

Dax keek naar de voetballers en streek afwezig door zijn haar. 'Maar zij dan? Zij zien er heel normaal uit, toch?'

'Jawel,' antwoordde Lisa. 'Maar bij het middageten vallen ze vast in slaap met hun gezicht in hun bord. Trouwens, wat eten wíj eigenlijk?'

'Wil je daarmee zeggen dat je wilt doorgaan met het menu van uitsluitend wild?' vroeg Dax.

'Natuurlijk,' zei Lisa. 'Ik ben niet zo aan Owen gehecht dat ik als een jaknikker voedsel ga eten dat ik niet vertrouw. Ik voel me nu prima en dat wil ik graag zo houden. Totdat ik het echt helemaal zeker weet. Dus wat eten we vandaag?'

Daar knapte Dax erg van op. 'Duif? Eekhoorn?

Ze trok een vies gezicht.

'Nou, goed dan, alweer lieve, pluizige konijntjes.'

Een uur later kwamen ze bij elkaar in de grot. Dax kwam als vos, met twee konijnen die slap uit zijn bebloede bek hingen.

Lisa kneep haar lippen samen. 'Hoe... voelt dat?' vroeg ze na een poosje.

Dax veranderde in een jongen en deed zijn best het uit te leggen. Eigenlijk had hij hier eerst met Gideon over moeten praten, zijn beste vriend. Maar Gideon zat in de eetzaal te eten met Luke en Catherine, en misschien ook met Mia en Barry. Waarschijnlijk had hij niet eens gemerkt dat Dax er niet bij was...

'Het gaat heel snel,' zei hij. 'Het duurt niet lang en het doet nauwelijks pijn. Het is plotseling en snel.'

'Je hoeft het voor mij niet mooier te maken, hoor,' zei Lisa, die deze keer zonder mopperen begon te villen. 'Maar hoe voel jíj je?'

Daar moest Dax even over nadenken. 'Het is een heel krachtig gevoel... Net zoiets als jij voelt als je wilt hardlopen, denk ik. Of wat mensen voelen die gaan bergbeklimmen of zwemmen. Het is heel lichamelijk en opwindend. Het gaat erg snel, alles om je heen vervaagt en je bent alleen nog maar gericht op wat je moet doen. Als ik vergeet dat ik ook een jongen ben, is het helemaal top. Puur instinct. Maar als ik nog wel weet dat ik ook Dax de jongen ben, is het afschuwelijk. Alsof ik in mijn eigen horrorfilm speel. Maar het duurt nooit lang. Want zoals ik al zei, het gaat allemaal erg snel. Ik zou het nooit doen als het niet noodzakelijk was. Niet voor de lol, bedoel ik.'

Lisa keek hem aan alsof ze daar nog niet zo zeker van was. 'Het is best handig dat je dat kunt,' zei ze. 'De wolvenjongen is trots op je.'

Met een ruk keek Dax op. 'Is hij er weer?'

Lisa knikte en ging verder met het lossnijden van een met blauwe adertjes doortrokken vlies. 'Por eens een beetje in het vuur.'

'Is hij er weer? Waarom heb je me dat niet verteld?'

Lisa keek hem kwaad aan. 'Rustig maar, hoor. Hij komt en gaat. Net zoals alle anderen.'

Dax maakte een geërgerd geluid. 'Maar heb je er dan niet bij stilgestaan dat het wel eens belangrijk zou kunnen zijn? Voor mij?'

'Hij heeft niks nieuws gezegd,' reageerde ze verdedigend. 'Gewoon hetzelfde als eerst. Je weet wel, over vleugels, en raak de derde niet aan. En over iets groens en zo. Ik dacht niet dat het belangrijk genoeg was om er steeds over te beginnen. Ik ben geen omroeper van het hiernamaals!'

Dax pakte het konijn dat Lisa had gevild, spietste het en hing het boven het vuur. Vervolgens pakte hij Lisa bij haar schouders. 'Wees nou eens stil en luister naar me.'

Ze keek hem onthutst aan.

'Daarnet zei je iets wat ik nog niet had gehoord. Over iets groens. Lisa, wat zegt hij allemaal tegen je? Wat laat hij je zien?'

Lisa had het fatsoen om een beetje schuldig te kijken. 'Sorry, ik dacht dat ik je dat al had verteld.'

Boos schudde hij zijn hoofd.

'O... Nou, hij laat me een soort plant zien. Een soort struik, groen, met ronde bladeren.'

'Waar? Waar staat die plant of struik?'

'Dat weet ik niet... Ik geloof in een boom.'

'Kijk dan, verdikkeme!'

'Oké, ik kijk al...' Ze kneep haar ogen dicht en fronste haar voorhoofd. 'Ja, in een boom.'

Onmiddellijk moest Dax denken aan die avond in het bos, toen de wolf aan hem was verschenen en hem naar de appelboom had gebracht. 'O ja,' zei hij. Hij gebaarde met zijn handen. 'Welke plant groeit er in een boom en ziet eruit als een soort groene bal? Weet jij dat?'

'Maretak,' zei Lisa, en ze deed haar ogen weer open.

'Maretak?'

'Ja, je weet wel, mistletoe. Dat spul waaronder ze elkaar zoenen met Kerstmis. Het groeit bij ons in de tuin. Walgelijke gewoonte.'

'En het groeit in bomen?'

'Ja, het is een parasiet. Het komt terecht in de boomschors, door een vogel of onze tuinman, en dan gaat het groeien op de boom. Het onttrekt energie aan de boom. Eigenlijk is het geen echte parasiet omdat het de fotosynthese voor eigen rekening neemt. Op mijn vorige school hebben we het bij biologie behandeld. Volgens mij...'

'Stop!' onderbrak Dax haar. Hij stond op en liep rondjes om het vuur. 'Wat zei je daarnet? Over energie aan de boom onttrekken?'

Lisa fronste haar wenkbrauwen en deed haar best zich zo veel mogelijk te herinneren. 'Nou, het haalt vocht uit de boom. Het is een parasiet. Parasieten leven op andere wezens. Maar maretak is best mooi. Heel erg giftig als je ervan eet, dat wel.'

'Raak de derde niet aan.' Dax ging op de grond zitten.

Alle geluiden klonken gesmoord en alles leek in slow motion te gaan. Opeens begreep hij het.

'Raak de derde niet aan,' fluisterde hij.

Lisa staarde hem aan, zich onbewust van het konijn dat boven het vuur werd geroosterd.

'Hè? Wat bedoel je?' vroeg Lisa.

Dax zette zijn vingertoppen tegen elkaar en keek toen op naar Lisa. 'Catherine is de derde.'

'Dax, waar heb je het over?'

'Lisa,' zei hij langzaam, 'denk eens heel goed na. Welk gevoel krijg je van Catherine? Heel eerlijk antwoorden, hoor!'

Lisa kneep haar ogen tot spleetjes. 'Catherine? Kweenie... Ik vind haar irritant. Ze is zo leuk en ze zit aldoor aan je. Ik... ik word heel erg moe van haar.'

'Moe?'

'Ja. En ze zegt altijd: "O wauw, wat moet het fantástisch zijn om zo goed te zijn als jij! Je bent fantástisch begaafd!"' Lisa kon het Amerikaanse accent heel goed nadoen. 'En ze zegt ook steeds: "O wauw, ik wou dat ik een heel klein beetje van jouw talent had!" Ik word er helemaal kierewiet van, om je de waarheid te zeggen.'

Dax lachte kakelend. 'Dat is het! Dat is het precies! Ze is net als een maretak! De wolf heeft gelijk!'

'Waar heb je het over?'

'Denk nou eens na!' Hij pakte Lisa bij haar polsen. 'Ze knijpt altijd in je hand, of ze slaat haar arm om je heen of zoiets. Zo is het toch?'

Lisa trok een grimas. 'Niet als het aan mij ligt.'

'Zo doet ze bij iedereen. Bij iedere leerling. Alleen nooit bij Luke. Ze ziet Luke nauwelijks staan. Is dat niet merkwaardig? Luke is toch ook haar broer? Maar ze hangt altijd om Gideons nek. Waarom? Wat is het verschil tussen Gideon en Luke?'

Lisa's mond viel open toen ze het begreep. 'Luke beschikt niet over een gave...'

Dax knikte koortsachtig. 'Snap je? Met wie geen gave heeft, bemoeit ze zich niet. En degenen met wie ze zich wel bemoeit, raken uitgeput. Doodop. Hun energie is uit ze gezogen. Iedereen is doodmoe, behalve Catherine. Met Catherine gaat het fantástisch. Catherine zuigt iedereen leeg.'

Lisa staarde hem aan. Toen het tot haar doordrong wat hij bedoelde, sloeg ze haar ogen neer. 'Een klein beetje van mijn talent. Ze probeert het uit me te zuigen. De vuile parasiet!'

'Maar sinds je weer terug bent, heeft ze niet meer aan je gezeten, toch? Je ontloopt haar al de hele dag en gisteren deed je dat ook. Ze heeft je niet meer kunnen vastpakken nadat je een week geleden bent weggegaan. En mij ook niet. Ik was niet vaak bij de drieling in de buurt omdat ik zo vaak op jacht was, of bij jou. En met ons is er niets aan de hand.'

Lisa liep rondjes door de grot. 'Het klopt wel. Weet je nog dat ze zichzelf heelde? Toen in het bos? Vlak daarvoor had ze aan Mia gezeten. Bij het eten laat ze altijd dingen zweven, terwijl ze tegen Gideon aan zit.' Ze rilde. 'Geen wonder dat hij geen fut heeft om iets met jou te doen. Ze heeft hem helemaal leeggezogen, de valse bloedzuiger, de gemene teek!' Ze rende naar de opening van de grot. 'Ik zal haar eens iets van mijn talent geven!'

Dax trok Lisa gauw terug. 'Nee! Nee, Lisa, niet doen.'

'Waarom niet?' Lisa sprong rond als een bokser in de ring. 'Denk eens aan Mia! Je weet hoe gevoelig ze is... We moeten haar in bescherming nemen. Catherine zuigt alle energie uit haar, voor de lol!'

'Lisa, GA ZITTEN!'

Dax had harder geschreeuwd dan de bedoeling was, want Lisa verbleekte en plofte neer op de grond.

'Wat kreeg je daarnet rare ogen,' mompelde ze.

Dax haalde diep adem. Hij beefde. Eigenlijk wilde hij niets liever dan met Lisa naar het schoolgebouw rennen en het de parasiet in hun midden onmogelijk maken nog meer energie uit iedereen te zuigen. Maar hij kon helderder denken dan Lisa. 'Ze zou alleen maar je energie uit je slurpen. Bovendien moeten we Gideon niet vergeten. Catherine is zijn zusje – en misschien weet ze wel helemaal niet wat ze doet.'

'O jawel,' zei Lisa en ze knikte heftig.

Dax geloofde haar. 'Toch moeten we haar een laatste kans geven. Laat mij maar met haar praten. Misschien kunnen we er een einde aan maken zonder dat er ongelukken gebeuren.'

Lisa zuchtte, balde haar handen tot vuisten en ontspande ze weer. 'Goed dan,' zei ze, veel kalmer dan eerst. 'Doe jij het maar zoals jij het wilt. Vanwege Gideon. Maar als ze weer begint, als ze weer iets van me opzuigt, zal ze het berouwen. Dan krijgt ze met míj te maken.'

Dax barstte in lachen uit. Eigenlijk was het een hele opluchting dat ze nu wisten waaraan het lag dat iedereen zo futloos was. Eindelijk begreep hij wat de wolf had willen zeggen. Alleen dat van die vleugel bleef een raadsel. Dax voelde zich zo opgelucht dat hij die vleugel maar vergat.

En Lisa was zo woedend en verontwaardigd dat ze niet eens merkte dat de wolf contact met haar opnam.

22

Dax trof Catherine aan op de rand van de fontein op het gazon. Ze was met Spook schoneschijn aan het oefenen. Spook vond het overduidelijk heel fijn om als leraar op te treden. Dax kon niet goed zien wat voor schoneschijn ze opwekten, maar hij zag aan het trillen van de lucht dat Catherine iets vertoonde. Spook boog zijn hoofd als een oude, wijze man, en Catherine sprong op en klapte enthousiast in haar handen.

'Heb ik het goed gedaan, Spook? Heb ik het goed gedaan?' riep ze ademloos uit. Toen hij knikte, omhelsde ze hem stevig.

Spook had een intens tevreden uitdrukking op zijn zelfingenomen gezicht toen ze hem weer losliet. Toen hij zijn handen hief om haar nog iets voor te doen, trilden ze.

Dax vroeg zich af hoe snel die zelfvoldane uitdrukking zou verdwijnen als Spook erachter zou komen wat Catherine eigenlijk had gedaan toen ze hem omhelsde.

'Catherine!' riep hij.

Even bleef ze doodstil staan, toen draaide ze zich om. Misschien had ze iets aan zijn stem gehoord. Of misschien gebruikte ze de kennis die ze uit de mediums had gezogen.

'Hé, Dax Jones! O wauw, ga je je in een vos veranderen? Voor mij?' Ze keek hem stralend aan.

Spooks gezicht betrok al. 'Heb je je territorium afgebakend?' vroeg hij bits. 'Het stinkt hier behoorlijk.'

Dax sloeg geen acht op hem. 'Catherine, ik wil even met je praten,' zei hij op ernstige toon. 'Onder vier ogen.'

'O wauw, wat doe je serieus,' zei ze plagerig. Tegen Spook zei ze: 'Dankjewel, meneer Leraar! Maar ik moet nu weg.' Ze omhelsde Spook nog een keer ten afscheid.

Dax wist niet waarom hij dat deed, want het was immers maar Spook, maar toch riep hij uit: 'Niet doen! Hou daarmee op!'

Spook was zo verbaasd dat hij geen gemene opmerking kon verzinnen.

Catherine liet haar handen zakken. Ze keek Dax doordringend aan, zonder erbij te lachen. Dax dacht dat hij iets van angst in haar ogen zag. 'Kom, ik wil met je praten,' zei Dax zacht. Hij liep weg, wetend dat ze achter hem aan zou komen. Ze liepen naar de rand van het schoolterrein, waar ze ongezien konden praten omdat er heggen stonden en het terrein glooiend afliep naar de zee. Zodra Dax zeker wist dat ze niet konden worden afgeluisterd, zei hij: 'Ik weet waar je mee bezig bent, Catherine.'

Ze sperde haar groene ogen open en hield haar hoofd schuin. 'Waar heb je het over?'

'Ik heb het over je gave,' antwoordde Dax. 'Als je het al een gave kunt noemen... Ik weet waaruit die bestaat.'

Ze rechtte haar rug. 'O? Vertel!'

'Je zuigt de energie uit anderen.'

Uitdrukkingsloos keek ze hem aan.

'Dat doe je toch?' vroeg hij verder.

Een poosje bleef ze zwijgend staan, toen ging ze ineens zitten op het gras, sloeg haar armen om haar knieën en staarde uit over de zee. 'Je hebt gelijk. Dat doe ik. Ik ben een soort bruiklener.'

'Een bruiklener?' vroeg Dax spottend. 'Nou, maar als je iets wilt lenen, moet je het eerst vragen. En dat heb ik je nooit horen doen.'

'Jij hoeft je nergens zorgen over te maken, Dax,' reageerde ze luchtig. 'Bij jou lukt het niet. Maar ik zou het graag nog een keer proberen.' Ze raakte zijn hand aan, alsof ze innig bevriend waren. 'Toe maar, het doet geen pijn.'

Ontzet deinsde hij achteruit. 'Maar je doet iedereen kwaad, Catherine! Je maakt de anderen zwak. Dat heb je zelf toch ook wel gemerkt? Je knuffelt ze en zuigt dan misschien de energie uit ze. Vertel me nou niet dat je dat niet weet.'

Catherine trok een pruillip en haalde haar schouders op. 'Ze blijven niet moe, ze krijgen weer nieuwe energie. Ik leen alleen een beetje. Het zou echter fijn zijn als ik hun energie kon behouden. Denk je eens in hoe machtig ik dan zou zijn!'

Met verachting keek Dax haar aan. 'En alle anderen zouden dood in zee dobberen,' mompelde hij. Later zou hij nog heel erge spijt van die woorden krijgen.

Plotseling draaide ze zich naar hem om. Haar lip trilde en gauw verborg ze haar gezicht in haar handen. 'Verraad me niet, Dax,' zei ze gesmoord snikkend. 'Alsjeblieft? Iedereen zou een hekel aan me krijgen en dat zou ik niet kunnen verdragen. Gideon zou willen dat hij me nooit had leren kennen...'

Peinzend keek Dax naar haar. 'Ik geef je nog één kans. Ik wil dat aan het eind van de week iedereen weer normaal is. Je mag niemand meer aanraken. Goed begrepen?'

Ze beet op haar lip en knikte.

'Als je je daaraan houdt, verklap ik niks. Ook niet aan Gideon. Beloof je het?'

'Ik heb weinig keus, hè?' zei ze snuffelend. 'Je hebt gewonnen, Dax.' Ze stond op en liep weg, de indruk achterlatend dat ze het oprecht meende.

Tijdens het avondeten liet Catherine zich niet zien, en ook niet later in de woonkamer.

Lisa liep de woonkamer in, zag Dax op hun gebruikelijke

plekje bij de open haard en plofte naast hem neer op de bank. 'Ze ligt in bed,' zei ze zacht. 'Ze zegt dat ze misschien iets onder de leden heeft, maar Mia mocht niet naar haar kijken.'

'Mooi zo,' zei Dax.

'Hm,' zei Lisa.

'Wat is er?'

'Het gaat allemaal een beetje te gemakkelijk, vind je niet?'

Dax slaakte een zucht. 'Het hoeft toch niet altijd moeilijk te gaan? Soms gaat iets van een leien dakje, toch?'

Lisa kneep haar lippen op elkaar en keek in de vlammen. 'Ik vertrouw haar voor geen cent. Misschien is het beter als je alles aan Owen vertelt.'

Dax schudde zijn hoofd. Na het gesprek van laatst met Owen wilde hij het Owen graag vertellen, maar hij had Catherine beloofd zijn mond te houden. 'Ze heeft me beloofd dat ze het niet meer zou doen, en ik heb beloofd het niemand te vertellen. Pas als ze toch weer begint, vertel ik het Owen. Ze kan toch niet helemaal verdorven zijn? Ik bedoel, ze is immers Gideons zusje? Jij denkt dat je iets van haar doorkrijgt, iets wat niet deugt, maar vergeet niet dat je nog steeds boos op haar bent. En je hebt haar trouwens nooit aardig gevonden. Volgens mij wíl je graag dat ze niet deugt, want dat zou betekenen dat jij gelijk hebt.'

Met een ijzige blik keek ze hem aan. 'Wat wil je daarmee zeggen?'

Dax schoof niet op zijn gemak heen en weer en stopte zijn handen in zijn zakken. 'Nou, ze ziet er leuk uit en ze heeft mooie kleren en...'

'Denk je soms dat ik jaloers ben?' vroeg Lisa op hoge toon.

Even dacht Dax dat ze hem een klap zou geven.

Ze keek hem echter alleen maar woedend aan en beende vervolgens de woonkamer uit.

Zelfs een ruzie met Lisa was geen domper op Dax' blijdschap dat Gideon langzaam aan weer zichzelf werd. Catherine hield zich aan haar belofte en liet zich de eerste dagen nauwelijks zien. Ze deed nog steeds alsof ze iets onder de leden had. Toen ze weer onder de mensen kwam, was ze zoals gewoonlijk opgewekt en vriendelijk, maar ze raakte niemand meer aan. Af en toe zag Dax zelfs dat ze een beetje wegschoof van iemand. Op een keer merkte hij dat ze met een ijskoude blik naar hem keek. Hij knikte naar haar, blij dat ze zich zo goed aan haar belofte hield.

Het werd weer leuk op school. Er klonk weer gebabbel, gelach en opgetogen geschreeuw tijdens de maaltijden, en mevrouw Dann moest minstens twee keer per dag waarschuwen dat de leerlingen tijdens de les niets moesten uithalen. Ze zag er veel gelukkiger uit. Ook Gideon was weer zijn ondeugende zelf. Hij deed vaak zijn best de grote tv in de woonkamer te laten zweven, ondanks de vele protesten van de anderen.

Tot hun opluchting aten Dax en Lisa weer gewoon in de eetzaal.

'Niet dat ik onze barbecues niet leuk vond, hoor,' zei Lisa toen ze niet meer boos op Dax was, 'maar échte maaltijden, die heb ik erg gemist.' Ze boog zich naar hem toe terwijl ze hun borden vol schepten met van alles en nog wat en fluisterde: 'Ik heb gehoord dat Catherine bij Ontwikkeling er niks meer van bakt.'

Dax glimlachte en knikte blij.

'Hé, Dax! Ga je mee chocola inslaan?' vroeg Gideon op zaterdagmorgen. Hij liet een kussen door de kamer zweven en het op Dax' hoofd ploffen om hem wakker te maken.

Dax was zo blij dat Gideon eerder wakker was geworden dan hij, dat hij wel had kunnen janken.

Met het warme lentezonnetje in de rug liepen ze door

het bos naar het dorp. Dax haalde diep adem en vertelde Gideon toen alles over het jagen op konijnen en duiven.

Gideon stond versteld. 'Je hebt echt een konijn gegeten? Een rauw konijn?'

'Ik heb het niet eerst gepaneerd of zo.'

Vol ontzag keek Gideon hem aan. 'Doe het nog eens als ik erbij ben?' vroeg hij ademloos. Hij bloosde van opwinding.

'Ik denk niet dat ik veel zal vangen als jij achter me staat te springen,' reageerde Dax lachend.

Gideon grijnsde breed, maar ineens betrok zijn gezicht. 'Het spijt me dat ik je in de steek heb gelaten,' zei hij. 'Volgens mij deed ik een beetje raar nadat ik erachter was gekomen dat ik deel van een drieling ben.'

Dax knikte. 'Dat was misschien ook wel te verwachten. Als mij zoiets overkwam, zou ik ook van slag zijn.'

'Maar nu is alles weer gewoon,' merkte Gideon op. 'Met mij gaat alles goed, en met Luke en Catherine ook. Catherine is een stuk rustiger geworden. Volgens mij heeft ze met iemand anders vriendschap gesloten, want ze hangt niet meer voortdurend om me heen.'

'Fijn,' zei Dax, ietsje te enthousiast, want Gideon wierp hem een blik toe. 'Ik bedoel, fijn voor haar, dat ze vrienden maakt,' voegde Dax er snel aan toe.

Plotseling hoorden ze een stem met een Frans accent. De twee jongens maakten een sprongetje van schrik.

'Gideon Reader! Je hebt weer de natuurwetten overtreden buiten de les Ontwikkeling! Dit weekend mag je niet van het schoolterrein af!'

Verwonderd keken Dax en Gideon om zich heen. Ze hoorden rectrix Sartre, maar zagen haar nergens.

Gideon keek erg schuldig. 'Ik heb alleen maar de tv een poosje laten zweven!' bracht hij verdedigend uit.

Links hoorden ze gegrinnik, gevolgd door een schaterlach. Even later kwamen de broertjes Teller uit de struiken gerend. 'We hadden je lekker te pakken, Gideon!' riep Jacob. Zijn broer Alex sloeg dubbel van het lachen.

'Jullie...' begon Gideon.

Maar ook Dax lag al dubbel. De broertjes Teller waren heel komisch en het was fijn dat ze weer zulke grappen maakten.

'Wacht,' zei Dax. 'Doe nog eens iemand na?'

De broers liepen gezellig met Dax en Gideon mee en imiteerden hen op een hele rits bewoners van Tregarren. Alex was bijzonder goed in het nadoen van meneer Pengalleon. 'Pas op, Barber,' zei hij bars. Het klonk precies als de doorleefde stem van de poortwachter. 'Dat zijn konijnenkeutels, geen chocolaatjes! Pas goed op!'

Jacob danste om hen heen, klapte in zijn handen en gaf een perfecte imitatie van Catherine, zo goed dat Dax er kippenvel van kreeg. 'O wauw, jullie zijn toch zo fantástisch! Ik vind het fantástisch wat jullie doen! In Amerika zijn geen mensen zoals jullie. O wauw, Gideon, ik wilde dat ik kon wat jij kan! Kun je in een doos springen en er cadeaupapier omheen doen?'

Gideon keek gegeneerd, daarom zei Dax gauw: 'Doe Spook eens na?'

Meteen verdween de stralende lach van Jacobs gezicht om plaats te maken voor de zelfingenomen uitdrukking van Spook Williams. Hij huppelde ook niet meer, maar liep langzaam en stoer. Toen hief hij zijn handen en zei met Spooks stem: 'Twinkel, twinkel... Kijk eens naar mijn glitter! Wat ben ik toch geweldig! Zeg, heeft iemand misschien een spiegel? Dan kan ik zelf zien hoe geweldig ik ben.'

Dax en Gideon moesten zo lachen dat ze zich moesten vasthouden aan een boom.

Dax had verwacht dat Catherine zich een hele poos koest zou houden, of dat ze zou gaan mokken. Het verbaasde hem dan ook toen ze een paar dagen later weer helemaal in vorm was, hoewel ze nog steeds niemand aanraakte. Het verbaasde Dax ook dat niemand dat leek op te vallen. Maar verder was ze weer een opgetogen wervelwind. Blijkbaar kon ze het niet verdragen om niet in het middelpunt van de aandacht te staan, en dus had ze iets anders bedacht om haar positie als populair meisje veilig te stellen.

Op een dag trof Dax haar aan in de postkamer, waar ze een mooi versierde affiche ophing. Dit stond erop:

AMERIKAANSE BARBECUE

Kom zaterdag naar de BARBECUE in Amerikaanse stijl!

Hotdogs, hamburgers en vegetarische worstjes op het sportveld, vanaf 19.00 uur.

VRIJWILLIGERS GEVRAAGD VOOR DE SPETTERENDE SHOW!

Aanmelden bij Catherine Reader voorzitter van de nieuwe Kom Club

Nadat Dax alles had gelezen, keek hij haar aan. 'Je begint een heel nieuw leven, hè?'

Ze lachte liefjes naar hem. 'Nou ja, ik moet toch íéts doen om te compenseren dat ik geen bijzondere gave heb?' zei ze luchtig. 'Ik heb nagedacht over wat jij zei en toen heb ik besloten iets terug te doen voor de Koms. En een knalfeest geven kan zonder iets te hoeven bruiklenen. Mevrouw Sartre heeft er toestemming voor gegeven, en de leraren hebben beloofd me te helpen. Zeg, wat ga jij doen? Doe je mee met de show?'

Dax schudde lachend zijn hoofd. 'Ik ben onder de indruk van je. Je hebt het echt heel goed opgenomen. Waarschijnlijk help ik met de barbecue. Ik ben niet zo'n showmens. Daarvoor moet je Spook hebben,' voegde hij er zuur aan toe.

'O, die heb ik al gevraagd en hij doet mee,' reageerde Catherine. 'Samen met nog een paar illusionisten. Jennifer Troke gaat zingen en de broertjes Teller zijn bezig een nummer in te studeren.'

'Ik verheug me er al op,' zei Dax. Hij was echt blij dat alles zo goed had uitgepakt.

In de onderaardse gangen van Ontwikkeling vulde Lisa haar vijftiende roze briefje in en schoof het over de tafel, zodat meneer Eades het kon lezen en aftekenen. 'Hou op met jammeren,' mompelde ze afwezig. 'Jij komt ook aan de beurt.'

Op de ochtend van de Amerikaanse barbecue werd Barry met veel genies wakker. Hij beschuldigde Gideon ervan dat hij de kussens weer had laten zweven en stak vier geelwitte veertjes op die hij als bewijs had verzameld.

Maar Gideon ontkende heftig en liet de veertjes lachend stijgen, totdat er in elke hoek van de kamer eentje hing.

'Dat was zeker erg moeilijk,' zei Luke, die er over zijn boek heen naar keek. Hij zette zijn bril af en wreef hem op met een punt van zijn pyjamajasje. 'Gideon heeft er niks mee te maken, Barry,' ging hij verder. 'Deze kussens hebben een synthetische vulling, er zit geen dons in. De veertjes zullen wel door het raam zijn gekomen.'

Dax, die bezig was zijn schooltrui aan te trekken, kreeg weer zo'n merkwaardig gevoel. Hij liet zich op zijn bed ploffen en merkte dat Luke naar hem keek.

'Alles in orde, Dax?' vroeg Luke. 'Je ogen stonden opeens zo raar...'

Meneer Pengalleon wandelde met Barber over het sportveld in de richting van het zwembad. Eenmaal daar sprong de hond enthousiast rond in de plassen, waardoor het water opspatte. Hij probeerde krabben te vangen en zoals gewoonlijk mislukte dat.

'Doe je best,' moedigde meneer Pengalleon de hond aan. 'Dan kunnen we krab eten bij het avondeten. Toe maar, Barber!'

Maar Barber hield ineens op met jagen. Hij bleef doodstil staan en stak zijn harige snuit omhoog. Meneer Pengalleon zag dat zijn vacht overeind ging staan. Na een paar tellen draafde Barber terug naar het baasje, nam de mouw van zijn regenjas in zijn bek en trok zijn baas bijna omver.

'Barber, wat is er met je? Laat los!'

Maar Barber hield de zwarte stof stevig tussen zijn tanden en begon zelfs klagelijk te grommen terwijl hij bleef trekken. Pas toen meneer Pengalleon met de hond was meegelopen het sportveld over en het rotsige pad op, liet Barber zijn jas los. Vervolgens draafde hij naar het poorthuis. Af en toe bleef hij staan om te kijken of de baas hem nog wel volgde.

Toen de hond en zijn baas weer bij het haardvuur zaten,

legde meneer Pengalleon zijn hand op de telefoonhoorn. Hij vond dat hij het die Franse rectrix moest vertellen. Maar wat moest hij dan zeggen? Dat zijn hond zich merkwaardig had gedragen? Meneer Pengalleon liet de hoorn weer los om er nog eens over te denken en terwijl hij nadacht, viel hij in een onrustige slaap.

23

Iedereen leek zin in een feest te hebben. Of de leerlingen zich nu wel of niet bewust waren van de invloed die Catherine op hen had gehad, ze waren allemaal weer even energiek en vast van plan het leuk te hebben op Tregarren. Iedereen deed het geweldig bij Ontwikkeling. Er was een lijst opgehangen op het mededelingenbord bij de aula waarop je kon zien dat de telekineten, de schoneschijners en de helers allemaal met sprongen vooruitgingen. Ook de mediums kregen veel meer berichten door, en de zoekers wisten in sommige gevallen heel precies te vertellen waar een verloren voorwerp zich bevond. De leraren zeiden dat het kwam door de verbeteringen in hun dieet, en aan de mineralen en de visolie die aan hun voedsel werden toegevoegd.

Het was echter hard werken. En omdat de leerlingen ook gewone vakken moesten volgen, had iedereen zin in een feest. Dus verheugden ze zich erg op de barbecue in Amerikaanse stijl. Sommige meisjes hadden zelfs de Amerikaanse vlag op hun kleren genaaid, en andere boden aan mevrouw Polruth te helpen met het bakken van appeltaarten.

Tegen etenstijd duwden mevrouw Polruth en een paar keukenhulpen vier zware karretjes naar het sportveld. Op de karretjes stonden barbecues die op butagas brandden. In de schemering hielpen de leerlingen de schraagtafels op te zetten en rolden ze een stuk of twintig biezen matjes uit op het gras, om op te zitten wanneer de show begon. Voor die show was een verhoging gemaakt. Om het feestterrein heen waren stevige fakkels geplaatst, met citroengeur, zowel om alles te verlichten als om insecten op afstand te houden.

Lisa, Mia en Gideon stonden aan een schraagtafel de broodjes voor de hotdogs te snijden en groenten te hakken voor de salade. 'Dit is echt leuk,' verzuchtte Mia blij. Ze zag er veel beter uit. Het was haast onvoorstelbaar dat ze er nog maar een paar dagen geleden zo zwak en breekbaar had uitgezien, dacht Dax.

Hij keek naar de tafel waar Catherine servetjes uitpakte en ondertussen praatte met de broertjes Teller over hun aandeel in de show. Hij zag dat ze over Alex' schouder wilde wrijven, dat toch maar niet deed en hem toen een kameraadschappelijke tikje gaf. Mooi zo. Een tikje kon niet veel kwaad.

Vroeg of laat moest Dax het Gideon vertellen. Gideon maakte zich toch al zorgen omdat zijn zusje weinig meer presteerde bij Ontwikkeling. En Luke had gezegd dat hij misschien toch niet de enige van de drieling was die niet over een gave beschikte. Ja, Gideon moest het weten. Misschien kon Dax Catherine overhalen het zelf aan Gideon te vertellen...

De Amerikaanse barbecue zou een van de beste feesten ooit op Tregarren kunnen zijn geweest, als er daarna niet zoveel was gebeurd. Catherine beschikte wel degelijk over een gave, al was het geen bovennatuurlijke. Ze kon organiseren. Bijna moeiteloos had ze de leerlingen die leuke voorstellingen zouden kunnen geven, overgehaald hun gêne opzij te zetten en op het toneel te gaan staan.

Eerst kwam een soort jongleernummer van een paar telekineten. Ze lieten kookgerei in een zorgvuldige choreografie een dansje doen. Het leek een beetje op synchroonzwemmen, maar dan zonder water. Het was boeiend om naar te kijken, en ook grappig toen Gideon ineens 'en garde!' riep tegen Peter Foster, en ze gingen schermen met een garde en een soeplepel. Beide kletterden tegen elkaar aan en uiteindelijk zweefden ze hoog in de lucht, net een paar roestvrijstalen ballerina's, totdat ze rechtop op het dak van de gymzaal kwamen te staan. Daar bogen de garde en de soeplepel naar het publiek, en toen de twee telekineten ze 'loslieten', kukelden ze naar beneden.

Iedereen moest hard lachen. Er werd gejuicht, en degenen die geen hamburger of hotdog in hun handen hadden, applaudisseerden volop.

De volgende die optrad was Jennifer Troke, die verlegen op het toneel stond met haar gitaar en begon te zingen. Ze had ontroerende liedjes uitgekozen en die zong ze heel helder en zuiver. Mia en de andere helers kregen er kippenvel van, en Dax' keel voelde dichtgeknepen omdat de helers zoveel emotie uitstraalden.

De broertjes Teller hadden een zeer vermakelijk nummer waarin ze Paulina Sartre nadeden. De echte mevrouw Sartre glimlachte toegeeflijk vanaf de rij klapstoeltjes waarop de leraren zaten, achter de matjes voor de leerlingen. Vervolgens deden de broertjes ook nog Spook, Gideon, meneer Eades en zelfs Barber na.

'Waar is Barber eigenlijk?' vroeg Dax aan Lisa, die naast hem hard zat te lachen. 'En waar is meneer Pengalleon? Je zou toch verwachten dat ze hier zouden zijn...'

Lisa klapte enthousiast toen de broers hun optreden beëindigden met overdreven sierlijke buigingen. 'Ik weet het niet,' antwoordde ze afwezig. Plotseling hield ze op met klappen, hoewel alle anderen nog applaudisseerden en 'bis, bis!' riepen terwijl Jacob en Alex al buigend achteruit van het toneel liepen.

Dax voelde haast de lucht killer worden en zag toen dat Lisa over haar linkerschouder wreef en in de verte staarde.

'Jemig, kun je niet tegen ze zeggen dat je een avondje vrij hebt?' vroeg Dax meelevend toen het tot hem doordrong dat de geesten weer eens bij Lisa aan het loket stonden.

Lisa schudde haar hoofd en stond op.

'Laat ze toch wachten,' zei Dax. 'De schoneschijners gaan beginnen. Jij moet me vertellen wat ik allemaal mis.'

Maar Lisa liep al weg. 'Ik kom zo terug,' zei ze luchtig. 'Ik wil even iets controleren.'

Dat ergerde Dax, maar hij vond het niet zorgelijk. Zoiets gebeurde maar al te vaak. Hij benijdde Lisa of de andere mediums niet. Hij kon zich niets ergers voorstellen dan al die lui uit het hiernamaals die in de rij stonden om jou als doorgeefluik te gebruiken. Hij schoof dichter naar Gideon toe, die na zijn optreden weer tussen het publiek was gaan zitten, en legde zijn arm rond Gideons schouder. Zo kon hij via Gideon een heel klein beetje zien van het optreden van de schoneschijners. Op deze manier had hij ook vagelijk iets meegekregen van het vuurwerk van vorig jaar november. En meestal vertelde Gideon Dax ook nog wat er gebeurde.

Hoewel Spook de drijvende kracht achter het nummer was – hij was nu eenmaal degene met het meeste talent – leek Gideon er erg van te genieten. In aansluiting op het Amerikaanse thema van de barbecue hadden de schoneschijners een soort optocht georganiseerd met allerlei Amerikaanse filmsterren, striphelden en personages uit de Amerikaanse geschiedenis.

Catherine sprong opgetogen op en neer en alle anderen lachten en applaudisseerden.

Toen Dax om zich heen keek, zag hij uitsluitend blije gezichten. Ook de leraren zagen er heel ontspannen uit.

De show was afgelopen en alle artiesten dromden het toneel op om het laatste applaus in ontvangst te nemen. Spook stapte naar voren en hief zwierig zijn hand. 'Dames en heren,' riep hij alsof hij een doorgewinterde presentator was, 'applaus voor de voorzitter van de Gezelligheidsvereniging en de organisator van de feestelijkheden: Catherine Reader!'

Het applaus klaterde op toen Catherine Spooks hand pakte en zich het toneel op liet trekken.

Laat los, dacht Dax even in paniek. Maar zo erg kon het niet zijn dat Catherine een poosje Spooks hand vasthield, dacht hij meteen. Het zou wel erg raar zijn geweest als ze níét hand in hand met Spook het applaus in ontvangst zou hebben genomen.

'En nu gaan we allemaal samen zingen!' riep Catherine enthousiast. 'Jullie kennen toch nummers van de Beatles, hè?'

Achter de leerlingen zaten de leraren te grijnzen en een paar leerlingen riepen luidkeels: 'Ja!'

'Dat dacht ik al,' zei Catherine giechelend. Ze hield haar hoofd een beetje schuin. 'Jennifer, zou jij ons willen begeleiden?'

Met een glimlach pakte Jennifer haar gitaar op. Vervolgens zette ze 'All You Need Is Love' in.

Dax dacht dat elk ander moment de leerlingen zouden hebben gekreund en geluiden gemaakt alsof ze moesten overgeven. Maar deze avond deden ze dat niet. Ze hadden allemaal heerlijk gegeten en genoten van een prachtige show, en er heerste een uitzonderlijk kameraadschappelijke sfeer onder al deze uitzonderlijk begaafde kinderen. Luidkeels begonnen ze te zingen. '*Love... love... love...*'

Zelfs Owen en mevrouw Dann zongen mee en zwaaiden met hun plastic bekertjes op de maat.

Met een grijns besloot Dax ook maar mee te doen. Maar

voordat de regel met *Nothing you can do* was afgelopen, viel hij stil omdat hij een gil had gehoord, een luide en angstige gil. Het was Lisa en ze was behoorlijk geschrokken.

Zonder erbij na te denken veranderde Dax in een vos. Vervolgens stoof hij door de menigte heen en verdween achter het licht van de fakkels en de rossige gloed van de barbecues.

Lisa, wat is er? Waar ben je? Hij snoof om haar geur op te pikken, maar dat lukte niet. Misschien was ze te ver weg, of misschien waren er te veel geuren van de barbecue en de opgewonden leerlingen. Dax spitste zijn oren. Hij kreeg wel signalen door, maar wist niet goed wat het was. Angst? Paniek? Het had met Barber te maken... Of misschien toch niet. Net toen hij naar het poorthuis wilde rennen om daar te kijken, werd hij afgeleid door iets op het sportveld. Terwijl hij was weggerend en zijn best had gedaan Lisa op te sporen, hadden de leerlingen gewoon verder gezongen. Ze waren gaan staan en deinden heen en weer. Maar wat Dax verontrustte, was de vorm waarin ze waren gaan staan. Ze stonden in een steeds groter wordende kring. De leerlingen volgden de instructies vanaf het toneel op en gaven elkaar een hand.

Half verborgen in het hoge gras langs de rand van het sportveld kon Dax niet zien wie de leerlingen had opgedragen hand in hand in een grote kring te gaan staan, maar dat kon hij wel raden. Hij werd helemaal koud vanbinnen. En toen drong het tot hem door. Catherine had iets teruggedaan voor de Koms en nu wilde ze haar beloning.

Hij maakte zich klaar om te springen en door de kring heen naar Catherine te stuiven. Als het nodig was zou hij haar naar de strot vliegen. Ze mocht niet op zo'n manier gebruik van de leerlingen maken! Dat kon hij niet toestaan.

Dax!

Hij verstarde en sprong niet.

Dax! De vleugels! Nu, Dax, nu!

Geërgerd schudde hij zijn kop. Hij wist nog steeds niet wat dat betekende. Hij voelde wel Lisa's angst en was zich bewust van de zijne. Zijn eigen angst, daarop kon hij reageren.

Weer maakte hij zich klaar voor de sprong. Maar opeens voelde hij een gigantische paranormale activiteit, het beukte tegen hem aan en verdoofde hem. Hij kon nauwelijks geloven wat hij toen zag. Overal vielen leerlingen bewusteloos op de grond.

24

Gideon kwam met zijn voorhoofd terecht op een brok graniet toen hij omviel. Zijn ogen stonden glazig en hij bewoog met zijn lippen alsof hij iets wilde zeggen.

In een paar tellen was Dax bij hem. Intuïtief bleef hij een vos, want hij besefte dat zijn energie hem dan niet kon worden ontstolen. Verderop rook hij Gideons zus, ze rende weg, maar hij kon niet achter haar aan gaan voordat hij wist hoe het met Gideon was.

Hij duwde met zijn neus tegen Gideons wang en zette zijn pootjes op zijn borst, maar Gideon werd niet wakker. Het leek een beetje op die ochtend op hun kamer, maar dan veel griezeliger. Gideon leek totaal versuft te zijn, maar ademde wel. Hij leefde nog.

Dax sprong over Gideon heen en trippelde over Alex Tellers rug. Alex lag met zijn gezicht in het gras en hield de enkel van zijn broer vast. Jacob lag opgekruld als een baby, met zijn ogen gesloten.

Dax besnuffelde hen en merkte tot zijn opluchting dat ook de broers nog leefden. Ook Mia ademde oppervlakkig en mompelde iets. Ze had haar ogen halfdicht en Dax zag het oogwit door de spleet heen.

Dax merkte dat de leraren, die misschien minder versuft waren geweest, alweer bijkwamen. De meesten hadden geen deel uitgemaakt van de kring zingende leerlingen.

Dax werd razend van woede. Hij stoof over het sportveld, met Catherines geur in zijn neus. De geur bestond voornamelijk uit adrenaline, zweet, triomf en... de zinderende geur van macht. Dax kreunde. Hoe lang kon ze dit volhouden? Lang genoeg om forse schade aan te richten, vermoedde hij terwijl hij op het hek om het sportveld sprong. Weer moest hij zich inprenten dat hij geen superheld was. In tegenstelling tot Gideon, Barry of zelfs Spook bezat hij geen gave die hem kon beschermen tegen een begaafd persoon zoals Catherine nu moest zijn.

Op het hek bleef hij even zitten om na te denken over wat hij het beste kon doen. Het had weinig zin zich als een lastige vlieg te laten pletten. Misschien moest hij naar Owen gaan, die zich op dat moment over de leerlingen boog om te controleren of ze nog leefden en bevelen bulderde naar de andere leraren en medewerkers.

Toen hoorde hij Lisa, met zijn scherpe vossenoren. 'Dax! Dax, help! Help! Ik zit in de grot... Help!' Het klonk zwak en wanhopig, dat was niets voor haar. En daar schrok hij erg van. Hij had geen seconde te verliezen; Lisa liep gevaar.

Hij stoof de met kleine steentjes bedekte helling af en over het donkere lint kiezels dat zich tussen de rotsen door slingerde, blij dat het nog niet helemaal vloed was en hij dus de snelle weg kon nemen. Uit de grot kwam het rossige schijnsel van een vuur. Waarom was Lisa in de grot? Hij dacht dat ze naar het poorthuis was gegaan.

Lisa! Wat is er?

Haar antwoord klonk van merkwaardig ver weg. *O nee! Dax, het is...* Er volgde een dreunend lawaai en vervolgens iets waar hij geen touw aan kon vastknopen. Het klonk als: *Het komt eraan!*

Zodra zijn pootjes terechtkwamen op het zandtapijt in de grot rook hij het. Catherine was hier en ze rook opgewonden en triomfantelijk. Maar Lisa was er niet, het rook totaal niet naar Lisa. Dax de vos liep een rondje, op zijn hoede, met zijn staart naar beneden en zijn snuit omhoog.

Toen hoorde hij Lisa weer roepen, uit de diepte van de grot. 'Help! Dax, ik zit hier vast. Help me alsjeblieft! Ik ben zo bang... Help me nou!'

Hij draafde door de grot, over het steen, steeds dieper naar het einde. Hij begreep er niets van en was bang. Het klopte niet. Hij hoorde Lisa, maar rook haar niet. Toen hij besefte wat er aan de hand was, was het al te laat. In een flits zag hij Jacob en Alex Teller voor zich, en toen Catherine, die op Alex' schouder tikte.

Dax de vos slaakte een oerkreet omdat hij zo stom was geweest. Vervolgens klonk er een dreunend lawaai, alsof er een vliegtuig laag overvloog. Iets metaligs raakte het steen achter hem, nog voordat hij de kans had gehad zich om te draaien in de krappe ruimte. Een dik metalen rooster, nog warm van de barbecue, kwam tegen hem aan. Het deed erg pijn tegen zijn rechterflank.

Toen Dax ernaar keek, drong het tot hem door dat het rooster niet tegen de wand aan stond, zodat hij erachter zat opgesloten, maar dat het rooster in het steen vast zat. De hoeken zaten wel een paar centimeter diep in het graniet van de grond. Er dreef nog een wolkje fijn stof rond. Dax duwde tegen het rooster, maar het zat muurvast. Hij kon er ook niet overheen springen, want er was geen plek voor een aanloop. Er was zelfs zo weinig ruimte dat hij zich nauwelijks kon omdraaien. Meteen werd hij misselijk. Dit was allemaal heel zorgvuldig uitgedacht.

Door het neerdwarrelende stof en de spijlen van het rooster heen kon Dax haar zien. Het leek alsof ze danste. Ze huppelde in het rond, met haar armen omhoog als een ballerina. Ineens bleef ze staan en keek om naar hem. Ze lachte als een stout kind en haar groene ogen fonkelden onder haar glanzende zwarte pony.

'O wauw, wat ging dat gemakkelijk, Dax,' zei ze giechelend. 'Ongelooflijk, zo gemakkelijk als dat ging.'

Dax merkte dat hij gromde. Hij wilde haar vragen waarom ze dit deed, hij wilde dat ze zich ging schamen en ermee ophield. Maar tenzij hij zich in een jongen veranderde, kon hij niets zeggen. En er was niet voldoende ruimte om in een jongen te veranderen. Nogmaals duwde hij tegen het rooster, maar er was geen beweging in te krijgen.

'Doe maar geen moeite, Dax,' zei Catherine met een zucht. Met een heel lieve glimlach op haar gezicht kwam ze dichterbij. 'Er is toch niks aan te doen. Over een poosje is het vloed en dan komt de zee naar binnen en is het allemaal afgelopen.'

Blijkbaar weet ze niet dat de vloed niet helemaal tot hier komt, dacht Dax. Toch voelde hij zich erg misselijk bij de gedachte dat Catherine zo gevoelloos kon zijn, zo wreed. Nam ze wraak op hem omdat hij haar had verboden nog langer te bruiklenen?

'Je vraagt je vast af wat er allemaal aan de hand is, hè?' vroeg Catherine terwijl ze voor het rooster knielde, zodat ze hem beter kon zien. 'Nou, het heeft te maken met ons gesprekje van laatst, waarin je zei dat ik iedereen met rust moest laten,' ging ze verder. 'Dat was niet lief van je, Dax. Daar maakte je die lieve Catherine heel verdrietig mee. Een poosje was ik heel bedroefd en sloom.' Ze praatte met een ergerlijke kleinemeisjesstem. 'Maar toen dacht ik eens na. Weet je, wanneer ik iets van Spook, Gideon of Mia leende, kon ik dat heel lang vasthouden. Pas wanneer ik ze weer zag, ging het weg. Het wil altijd terug, Dax. Het weet dat het niet van mij is, daarom probeert het altijd terug te gaan naar waar het hoort.'

Ze zuchtte. Toen drukte ze haar gezicht tegen de vierkantjes van het rooster en kon hij de kwaadaardige blik in haar fonkelende ogen zien. 'Maar... stel dat het niet terug zou kunnen? Omdat er geen lieve leerlingen meer waren om naar terug te gaan? Dan zou ik het voor altijd kunnen houden. Alles!'

Dax kroop op zijn buik naar achteren, in de hoop dat hij haar verkeerd begreep. Hij hoopte dat hij het helemaal bij het verkeerde eind had en dat ze niet bedoelde wat hij vermoedde.

'Kijk me niet zo aan!' snauwde ze opeens. Vervolgens haalde ze diep adem, stak haar duim in haar mond en neuriede een klein stukje van 'All You Need Is Love'.

Ze is gek, dacht Dax, ze is hartstikke gek.

Opeens hield ze op met neuriën, haalde haar duim uit de mond en rechtte vervolgens fier haar rug. 'Dus heb ik dit allemaal bedacht. Een manier om zoveel te krijgen als ik maar kon. En me daarna van die egoïsten te ontdoen. Weet je, Dax, ze willen het steeds terug,' zei ze klaaglijk. 'Maar ík dan?' Ze sprong op en keek hem met een van woede vertrokken gezicht aan. 'Maar ík dan? Waarom moet ik de enige zijn met lege handen? Nou? Waarom heb ík niks? Ik verdien het om over net zoveel gaven te beschikken als jullie. Het is niet eerlijk, ik word buitengesloten. Snap je het nou? Ik heb er recht op.'

Op dat moment vlogen er een paar stenen over de grond en kwakten hard tegen elkaar. Er vlogen stukjes steen alle kanten op. Daar leek Catherine een beetje rustiger van te worden, want ze glimlachte flauwtjes en trok haar wenkbrauwen op. 'Goed ben ik, hè?' mompelde ze.

Ze haalde diep adem. 'Nou ja, in elk geval beschik ik nu over iedereens gaven. Die van Jacob en Alex was hartstikke handig om jou hier te krijgen.' Met een perfecte imitatie van Lisa's stem riep ze uit: 'Dax! O, Dax, kom me redden!' Ze lachte. 'O ja, ik wist zeker dat jij niet zou meedoen met mijn spelletje. Je doet nooit eens mee. Jammer, hoor. Ik zou graag in een kat willen veranderen. Dat zou ik nou echt heel fantástisch hebben gevonden. Ik zou nu een beetje van je kunnen afpakken, maar... Nee, ik kan je er niet uit laten en...' Ze stak haar vingers door het rooster alsof ze hem wilde porren en trok ze toen giechelend terug. 'Ik denk dat je me zou bijten. Nou ja, dan word ik maar geen veranderling. Ik ben immers al een heler, medium, mimiek, telekineet en eh... o ja, schoneschijner en illusionist.' Ze grinnikte. 'Je moet niet alles willen hebben.'

Neuriënd liep ze door de grot.

Dax sprong tegen het rooster op en slaakte weer zo'n oerkreet.

'Je kunt er niet uit, Dax. Vergeet het maar,' riep ze achterom. 'Ik heb het allemaal goed gepland. Je hebt me onderschat, vosje. Niemand kan die arme Koms waarschuwen. Lisa zit opgesloten in het poorthuis, Mia is half bewusteloos en Gideon... Nou ja, die is nu nergens toe in staat. Jammer, maar niets aan te doen. Hij mocht bij onze vader wonen terwijl ik zat weggestopt in een kindertehuis. Nu is het Gideons beurt om pech te hebben. Lang blijft hij toch niet meer hier. Er blijft hier niemand over. Trouwens, het zijn toch allemaal lege hulzen. Niemand heeft meer iets aan ze. Daarom zal ik ze allemaal opruimen. Ik spoel ze weg en daarna ben ik de enige Kom ter wereld. Ik word heel beroemd. Dag, Dax.'

Ze liep om het vuur heen en huppelde vervolgens de grot uit.

Dax voelde paniek opkomen. De angst maakte dat hij rilde en zijn hart sneller ging slaan. Maar hij onderdrukte de angst snel en gelukkig lukte hem dat. Dit was niet het moment om over zichzelf in te zitten. Hij moest goed nadenken. En hij moest een bericht sturen aan Lisa. Ze zat dan wel opgesloten in het poorthuis, maar ze kon nog wel berichten ontvangen. Dax dacht: *Lisa, Lisa! Catherine is waan-*

zinnig geworden! Ze wil iedereen vermoorden. Vertel het aan Owen. Probeer Owen te bereiken!

Maar hij kreeg alleen lawaai terug. Een oorverdovend, brullend lawaai. En een afschuwelijke, hartverscheurende kreet van Lisa. *Het komt eraan!* Hij was zich ervan bewust dat ze met iets worstelde, dat ze ergens op sloeg en beukte. Misschien de deur van het poorthuis?

Hij had zich nog nooit zo hulpeloos gevoeld en hij was ook nog nooit zo kwaad op zichzelf geweest. Hij had moeten doen wat Lisa had gezegd. Hij had het aan Owen moeten vertellen. Het zou zijn schuld zijn als iedereen doodging.

Het vuur flakkerde op. Dax hief zijn trillende snuit en zag de wolf als een schaduw op hem afkomen. De wolf leek geen haast te hebben. Hij richtte zijn zilverkleurige ogen met een wetende blik op Dax, alsof hij besefte dat dit de laatste keer zou zijn.

Heel duidelijk hoorde Dax hem. *Vleugels.*

Dax voelde zijn vacht langzaam wegvallen. Het verbaasde hem dat hij zich tegelijkertijd zo stom en zo opgetogen kon voelen, maar lang kreeg hij niet om daarover na te denken. In zijn oren hoorde hij het bruisen van water uit kranen en toen veranderde hij. Niet in een jongen die gevangen zat onder de grond, maar in een vogel.

De wolf vervaagde en Dax de valk drukte zijn veren tegen zich aan en glipte tussen de vierkantjes in het rooster door. Hij was vrij. Voor de eerste keer spreidde hij zijn vleugels en verwonderde zich over zijn scherpe blik en de grootte van de grot. Hij wilde dolgraag die vleugels gebruiken. Ook kwam er een heel nieuw geluid uit hem, een krassend geluid: *Kie-kie-kie.*

Vervolgens vloog hij met gestrekte klauwen de grot uit en omhoog, opgenomen door de stormachtige zeewind.

25

Er heerste een enorme chaos. Leraren en leden van het keukenpersoneel liepen rond tussen de leerlingen die in het gras lagen. Ze deden hun best hen wakker te krijgen. Een paar leerlingen lagen op haastig in elkaar gezette brancards. Huilend schudde mevrouw Dann Jessica Moorland door elkaar. Er was een handjevol leerlingen dat langzaam bijkwam, zag Dax, die op zoek naar Owen hoog boven hen cirkelde. Luke stond verwilderd om zich heen te kijken en Spook Williams zat op zijn knieën en wreef over zijn hoofd.

Opeens zag Dax Owen over Gideon gebukt staan. Als een pijl uit de boog vloog hij naar beneden. Met zijn klauwen kwam hij neer op Owens schouder.

'Au!' riep Owen uit. Hij wilde de roofvogel wegslaan, maar iets hield hem tegen.

Dax fladderde naar de grond en ging vlak voor Owen staan. Hij was zo opgewonden dat hij zich niet in een jongen kon veranderen, net als toen tijdens de vossenjacht. Dus hipte hij op en neer en kraste scherp: *Kie-kie-kie!*

'Dax?' vroeg Owen verwonderd.

Toen Dax zijn naam hoorde, knapte er iets. Even later zat hij zwaar en log op de grond, gewoon weer als jongen, maar zijn hart klopte nog zo snel als dat van een vogel.

'Catherine! Het is Catherine! Ze wil iedereen vermoorden!' gilde hij. 'Waar is ze?'

Even keek Owen hem onthutst aan, toen keek hij om zich heen. 'Ik weet het niet, Dax. Wat weet jij hiervan? Wat gaat er gebeuren?'

Weer voelde Dax zich erg hulpeloos. Hij kon alleen maar zeggen: 'Er komt iets aan, er komt iets aan! Lisa weet het, maar zij zit gevangen in het poorthuis...'

Dax voelde een hand neerkomen op zijn schouder. Met een ruk draaide hij zich om en zag Luke staan.

In Lukes brillenglazen werd de maan weerspiegeld. 'Kijk,' zei Luke en hij wees.

Hoog op de rotswand boven hen zat Catherine gehurkt op een richel. Ze had haar armen om haar knieën geslagen. Ze wiegde heen en weer en neuriede terwijl ze strak voor zich uit over de zee uitkeek.

'Catherine!' riep Owen.

Het meisje bleef naar de zee kijken.

Dax vloog op voordat hij het goed en wel wist. Hij besefte dat hij ervoor moest zorgen dat ze haar blik op iets anders richtte. Hij wist dat ze iets verschrikkelijks op hen af liet komen. Het 'het' waarop Lisa had gedoeld. Hij cirkelde steeds hoger, er goed voor zorgend dat hij niet in een rechte lijn naar haar toe vloog, want dan zou ze hem makkelijker kunnen aanvallen. Het beste zou zijn zich van heel hoog op haar te storten. Daarom bleef hij maar stijgen, zwevend boven de rotswand, hoger dan de bomen van het bos. Toen richtte hij zijn scherpe blik op haar hoofd en liet zich vallen. De kleuren van de bomen, het gras en de zee liepen in elkaar over, en na een paar tellen had hij zijn scherpe klauwen al in haar haren gezet.

Hij raakte haar hard. Een tevreden gevoel schoot door hem heen toen hij haar bloed rook.

Helaas had ze haar arm gauw geheven en hield ze zich vast, zodat ze niet van schrik van de richel viel. Maar ze slaakte wel een gil en was gedwongen haar blik af te wenden van de zee. Toen gebruikte ze haar telekinetische gave en liet hem tegen de rotswand smakken.

Heel even hing hij ondersteboven boven het mos dat op de rotsen groeide. Eerst zag hij alles wazig, maar toen herstelde hij zich en kon beneden nog meer Koms zien die wankelend overeind kwamen. Sommigen huilden, anderen kreunden, maar allemaal waren ze zwak en kwetsbaar.

Snel draaide hij zich om en vloog een eindje op. Gelukkig had hij niets gebroken. Toen zag hij dat Catherine weer wiegend naar de zee keek.

Opeens voelde hij een windvlaag, een soort zuigende wind vanaf land naar zee. De wind voelde warm en onheilspellend aan.

Dax volgde Catherines blik en schrok ontzettend.

Aan de einder was de horizon niet langer een platte streep. De horizon rees omhoog, als een vouw in een tafelkleed. De zee werd omhooggetrokken, in een enorme, kolkende sliert. Eerst was de trechter wiebelig en onvast, en stortte bijna in, alsof hij eigenlijk niet wilde worden beheerst door het meisje op de richel.

Ze wil iedereen laten wegspoelen, precies zoals ze heeft gezegd, dacht Dax. Nu wist hij wat Lisa had bedoeld met 'Het komt eraan!'.

Opnieuw vloog Dax hoog op en kraste venijnig voordat hij weer de aanval op Catherine inzette. Hij was razend van woedde en verlangde naar bloed. Als het moest, zou hij de huid van haar hoofd trekken, of haar ogen eruit pikken. Maar deze keer was hij nog een meter van haar verwijderd toen ze hem weer een beuk gaf, waardoor hij hulpeloos om zijn as tolde en vervolgens naar de grond stortte.

Dax! Er komt iets aan! Breng ze ergens waar het hoger is! Weer hoorde hij Lisa in zijn hoofd; haar woorden hadden hem wakker geschud en hij wist zijn poten te strekken voordat hij neerkwam. Hij kwam hard neer op het sportveld en veranderde gauw in een jongen. Vervolgens strompelde hij naar Owen toe en schudde aan zijn schouder. 'Kijk!' riep hij terwijl hij naar de zee wees. 'Een waterhoos! Iedereen moet weg hier, naar waar het hoger is!' Owens mond viel open. Toen brulde hij bevelen, zo hard als hij kon.

Dat werkte op de versufte leerlingen. Er klonk gegil. Dat was goed, want het betekende dat ze waren bijgekomen. Meteen zette iedereen het op een lopen. Af en toe keken ze vol afgrijzen om en duwden en trokken elkaar weg van het gevaar.

Dax veranderde weer in een valk en vloog snel op. De waterhoos wiebelde niet meer, maar stormde doelbewust op de kust af.

Dax vermoedde dat de mensen op het sportveld hooguit tien seconden hadden om zich in veiligheid te brengen. Hij keek naar beneden en zag Gideon ongelovig in de richting van de zee kijken. Meteen maakte Dax een duikvlucht en krabde zijn vriend met zijn klauw.

Gideon schreeuwde het uit van pijn en schrik en bracht zijn hand naar de bloedende snee op zijn wang. Maar het had wel gewerkt, want onmiddellijk rende hij weg, samen met de anderen.

Ze redden het niet, ze redden het niet, dacht Dax. De leerlingen hadden nu nog maar iets van vijf seconden, en de ziedende waterkolom stormde op hen af, bulderend als iets wat was ontsnapt uit de hel.

Catherine was gaan staan en had haar armen gespreid. Ze lachte terwijl de wind haar haren wild deed wapperen.

Dax durfde nauwelijks meer naar beneden te kijken. Over drie tellen zou iedereen om wie hij gaf worden weggespoeld als drijfhout. Weer vloog hij op Catherine af, deze keer vast van plan haar ogen uit te pikken. Maar ineens vertrok ze haar gezicht. Ze keek naar beneden en slaakte een doordringende kreet van woede.

Vlak voordat Dax van plan was geweest zich op haar te storten, keek hij even naar beneden. Misschien had Paulina Sartre iets bedacht om Catherine een halt toe te roepen. Maar nee, de rectrix duwde Mia en Jennifer het pad omhoog op en rende toen terug om meer doodsbange leerlingen te helpen. Misschien kon ze Catherine helemaal niet zien vanaf daar, dacht Dax.

Er stond nog maar één leerling op het sportveld over zee uit te kijken. Er stond geen angst op zijn gezicht. Plotseling drong het tot Dax door hoe verkeerd ze deze jongen hadden beoordeeld. Iedereen had gedacht dat hij maar een zielige, onbegaafde jongen was.

De enorme trechter van de waterhoos torende boven hem uit. De waterhoos bestond uit een gigantische kolom zeewater, stenen en wier, en was wel zeven meter hoog. Hij wervelde met hoge snelheid rond en niets duidde erop dat hij naar beneden zou storten. Hij stond daar maar te draaien.

Lukes ogen waren glazig geworden van de inspanning. Zijn mond hing open en hij ademde oppervlakkig. Hij had zijn vuisten gebald. In de ene vuist zat zijn kapotgeknepen bril en uit zijn neus kwam een beetje bloed.

Dax voelde zich erg schuldig omdat hij nooit veel aandacht aan Luke had besteed. Nooit had hij gedacht dat Luke tot iets bijzonders in staat zou zijn. Nu herinnerde hij zich dat Luke op de bank door het raam naar de duisternis buiten had gekeken, die nacht dat de ramen in hun kamer waren gebarsten. Dax had gedacht dat het niet meeviel voor Luke om leerlingen om zich heen te hebben die zulke bijzondere dingen konden, maar nu besefte hij dat Luke zich daar niet druk om maakte. Luke was heel erg bang geweest, bang voor wat hij wist dat in hem schuilde, iets zo krachtigs dat hij er af en toe geen vat op had... Maar alleen wanneer hij droomde. Hij was intelligent genoeg om te beseffen hoe gevaarlijk het zou zijn wanneer hij het niet binnen kon houden. Voortdurend moest hij hebben geworsteld om het binnen te houden, vooral tijdens de les Ontwikkeling. Dat hem dat was gelukt, terwijl hij werd onderzocht en hij om zich heen anderen hun gaven wel zag gebruiken, toonde aan hoe verschrikkelijk begaafd hij moest zijn.

Maar nu? Wat deed hij met zijn gave en wat kostte het hem? Luke bleef maar kijken naar de rondtollende muur van water, terwijl het bloed uit zijn neus bleef sijpelen, langs zijn lip en zijn kin.

Dax vroeg zich af of Luke daar geen last van had. Hij bleef rondjes vliegen boven de jongen. Het speet hem dat hij hem niet kon helpen.

Achter Luke bereikten steeds meer leerlingen hogergelegen terrein. Volgens Dax kon Luke nu wel ophouden met de watermassa tegenhouden. Maar als Luke dat zou doen...

Plotseling werd Lukes hoofd naar achteren gerukt en de wazige blik verdween uit zijn ogen.

Catherine stond achter hem. Ze rukte aan zijn haar, waardoor zijn hoofd steeds verder achterover werd getrokken. Bij elke ruk tierde ze: 'Jij bedrieger! Jij bedrieger! Jij kleine, akelige bedrieger!'

Luke probeerde haar zwakjes van zich af te duwen, heel onhandig met zijn gezicht naar de dreiging boven hem gekeerd.

Maar ze bleef maar trekken en ze bleef maar aan zijn haar rukken terwijl ze krijste en tierde.

Eerst leek Luke verward, maar toen fixeerden zijn ogen zich op de valk die boven hem zweefde. Vervolgens keek hij langs de valk naar iets nog hogers.

'Wegwezen, Dax,' zei hij met een wrange glimlach. Dax schoot omhoog door iets wat aanvoelde als zware regenval. Later begreep hij zelf niet dat hij het had overleefd. In een paar tellen klom hij tachtig meter omhoog en keek hij naar het afschuwelijkste wat hij ooit had gezien. Eerst lag Tregarren College onder hem, met de rechte, goed ontworpen gebouwen, de glanzende ramen, de sprankelende fontein, het keurige gazon en de sprookjesachtig verlichte paden. Dit was de plek waar hij gelukkig was geweest.

Het volgende moment was alles verdwenen. Enorme hoeveelheden groenzwart water en wittig schuim stortten zich donderend over alles heen, alle richtingen uit. Stukken glas, staal en metselwerk werden in de lucht geworpen. Wat er onder het water gebeurde, was niet te zien. Het bulderende lawaai overstemde alles. Toen volgde er een gigantische vlaag koude wind, waardoor Dax om en om werd gedraaid totdat hij niet meer wist wat nu lucht was en wat zee, wat rots was of zachte aarde. Na een poosje deed hij niet eens meer zijn best te kijken wat wat was.

26

Door de ramen, door de ramen, door de ramen in de kamer...
Er klonk een korte pauze, toen ademde het meisje met de hese stem in en zong ze het liedje nog eens.

Dax zag zichzelf door de ramen gaan, net als in de droom, maar dan duidelijker. Alleen waren het geen ramen, maar de vierkante openingen van het rooster. Deze laatste droom was echter een nachtmerrie. Hij draaide zich om en zocht tastend naar het dekbed, dat zeker weer van hem af was gevallen, waardoor hij nu lag te rillen. Toen voelde hij iets droogs en prikkerigs, en ineens rook hij bos. Meteen deed hij zijn ogen open en zag vlak voor zijn neus een heleboel hout. Hij keek opzij en toen drong tot hem door waar hij zich bevond: in een kuil onder een omgevallen boom, in het bos boven het schoolterrein. De ochtendzon verwarmde zijn rechterschouder, die uit de kuil stak. Hij hoorde houtduiven koeren en in de verte het ruisen van de zee.

Ineens wist hij het weer. Het was alsof hij werd gehuld in een verstikkende deken. Hij probeerde niet op te staan en naar het poorthuis te rennen om erachter te komen wie het had overleefd en wie niet. Ten eerste had hij daar de energie niet voor, en ten tweede was het prettig om het niet te weten. Misschien was iedereen wel gered. Maar toen herinnerde hij zich Luke, die naar de grond was getrokken en glimlachend had gezegd: 'Wegwezen, Dax.'

Daarna had hij miljoenen liters zeewater naar beneden laten storten.

Dax sloot zijn ogen.

Het meisje begon weer te zingen. *Door de ramen, door de ramen... O, wacht, nu snap ik het. Sorry voor het zingen, maar ik kon niets anders bedenken toen ik dat zag. Jemig, straks word ik nog een heler!*

Lisa! Het was Lisa. Ze zocht hem, dat wist Dax zeker. Maar ze kreeg zijn vreemde droom door en zo kon ze hem niet bereiken. Ondanks alles lachte Dax even, hoewel dat erge pijn aan zijn ribben deed. Hij stuurde een bericht terug. *Ik ben in het bos, Lisa.*

Weet ik, kreeg hij terug. *Dat hoef je me niet te vertellen. Wacht, ik zal je laten horen wat ik allemaal weet, even een beetje opscheppen. Owen en Gideon komen eraan. Jij moet stil blijven liggen. Misschien heb je iets gebroken of zo.*

Weer grijnsde Dax. Lisa was een leuke meid. Toen stuurde hij bericht terug: *Alles goed met jou? En... met de anderen?* Hij was bang voor haar antwoord.

Het lijkt wel of er een bom is ontploft op het schoolterrein, kreeg hij terug. *Er staat bijna niks meer overeind. De regering stuurt er mannetjes op af. De leerlingen kunnen alleen nog maar wartaal uitslaan, en ik heb gezien dat Spook Gideon een schouderklopje gaf. Dát was pas eng! We dachten allemaal dat hij dood was, zie je. Dat was mijn schuld. Ik had iets verkeerds opgepikt. Nou ja, dat is ook weer niet helemaal waar... Maar nu moet ik weg. Ik moet nog heel veel berichten versturen en heel veel mensen zoeken. Owen en Gideon zijn bijna bij je. Tot gauw.*

Toen ze zich afsloot voor hem, hoorde hij al naderende voetstappen in het bos.

Zodra Owen en Gideon Dax zagen, kwamen ze roepend aangerend om vervolgens op hun knieën in de bladeren te gaan zitten. Bezorgd keken ze hem aan.

Vermoeid maakte Dax een wuivend gebaar.

Meteen pakte Gideon Dax' hand en kneep daar hard in.

Hij zei niets, maar er stonden tranen in zijn ogen en zijn schouders schokten lichtjes.

'Denk je dat je iets hebt gebroken, Dax?' vroeg Owen terwijl hij zijn rugzak openritste.

Dax schudde zijn hoofd. 'Nee,' zei hij, 'ik ben alleen maar heel erg moe.'

Owen haalde een pakje sap uit de rugzak en stak het rietje erin. 'Drink dit maar op,' zei hij.

In een paar slokken dronk Dax het zoete bessensap op. Meteen kreeg hij weer energie en kon hij onder de omgevallen boom uit kruipen en gaan zitten.

'Hoeveel zijn er gestorven?' vroeg hij terwijl hij takjes en bladeren uit zijn haar haalde. Hij durfde niemand aan te kijken.

'Dat weten we niet zeker,' antwoordde Owen. Hij onderzocht Dax op verwondingen. 'Er zijn in elk geval twee vermisten. We dachten dat we jou ook kwijt waren, maar Lisa wist zeker dat je ergens lag te dutten, als een echte slaapkop.'

Dax lachte vreugdeloos en keek toen Gideon aan. 'Wie worden er vermist?' vroeg hij.

Gideon glimlachte beverig. 'Luke,' zei hij. 'En Catherine.'

Later bleek dat Lisa linea recta naar het poorthuis was gegaan, waar ze meneer Pengalleon slapend in zijn stoel had aangetroffen, terwijl Barber als een waanzinnige blafte en rondsprong om hem wakker te maken. Meneer Pengalleon leek totaal geen energie meer te hebben en was half bewusteloos. Meteen was het tot Lisa doorgedrongen dat Catherine hierachter moest zitten, dus wilde ze weer teruggaan om hulp te halen. Maar toen was de deur dichtgeslagen en met bovennatuurlijke kracht dichtgehouden, net zoals de ramen. Ze had haar best gedaan iets van Catherine op te pikken, maar ze kreeg alleen bulderend lawaai door en 'het komt eraan'. Daardoorheen had ze de wolf gehoord, die het aldoor maar over vleugels had.

Binnen een mum van tijd had Lisa in de kelder een bijl gevonden. Ze kon immers uitstekend dingen vinden. Maar het had veel tijd gekost om de deur kapot te hakken. Dat was haar pas gelukt vlak voordat de waterhoos instortte.

De leerlingen waren tegen die tijd hoog genoeg om niet te worden meegesleurd door het kolkende water. De meeste schade was aangericht op het lagergelegen schoolterrein, daar stond bijna geen steen meer op de andere. De watermassa was heel dicht bij Owen gekomen, die de broertjes Teller in veiligheid had getild. Veel leerlingen waren doorweekt geraakt van het opspattende water, en waren bekogeld met steentjes en zeewier. Verrassend genoeg waren de huisjes van de leraren droog en onbeschadigd gebleven en boden nu onderdak aan een paar versufte leerlingen. Degenen die konden lopen en normaal praten, waren door het poorthuis gebracht naar de plek waar twee grote bussen stonden geparkeerd. Daar zaten of lagen ze in, met dekens om zich heen geslagen. Sommigen keken zwijgend voor zich uit, anderen zaten zachtjes met elkaar te praten.

Twintig mannen die Dax niet kende, maar van wie hij vermoedde dat het geheim agenten waren, ondervroegen de leerlingen. Daarvoor hadden ze drie hypermoderne busjes met spiegelglas in de ramen. Het waren een soort werkkamers.

Ondertussen liep het keukenpersoneel af en aan met warm eten en drinken dat ze uit het dorp hadden gehaald.

Het viel Dax op dat de weg naar het dorp was afgezet en dat er patrouillewagens en ambulances stonden. Boven zijn hoofd vloog een helikopter. Van het leger, niet van de pers.

Dax werd ondervraagd door Owen en de geheim agent

die Chambers heette. Dat was een sportief uitziende man met kortgeknipt donker haar en een dure bril zonder montuur. Onder het praten klikte hij voortdurend met zijn balpen.

Owen zei dat Dax vrijuit kon praten. 'Chambers is wel wat gewend, Dax,' zei hij. 'Hij weet veel over je, maar nog niet dat je je ook in iets anders dan een vos kunt veranderen.'

Dax vertelde hun alles. Hij begon op het punt dat hij besefte dat Catherine een parasiet was. Hij vertelde het hele verhaal zonder omhaal en zonder zichzelf te sparen. 'Lisa zei dat ik het u moest vertellen,' zei hij terneergeslagen tegen Owen. 'Dat had ik inderdaad moeten doen. Als ik dat had gedaan, zou Luke nu misschien nog leven.'

'We weten niet zeker dat Luke dood is,' reageerde Owen zacht.

Maar Dax zag Lukes wrange glimlach weer voor zich, hij hoorde zijn laatste woorden weer en sloot gauw zijn ogen.

'Bovendien zou de Catherine die jij me beschreef, zich door niets hebben laten weerhouden om te krijgen wat ze wilde,' ging Owen verder. 'Als ze jou en Lisa voor de gek kon houden met die barbecue, zou haar dat bij mij ook zijn gelukt. Misschien zelfs bij mevrouw Sartre.' Hij boog zich naar Dax toe en legde zijn hand op Dax' schouder. 'Als je niet had gedaan wat je deed, als je er niet voor had gezorgd dat we allemaal naar hogergelegen terrein waren gevlucht, en als je Catherine niet had aangevallen, zou misschien niemand het hebben overleefd, zelfs niet met Lukes onverwachte en geweldige gave.' Even zweeg hij. 'Misschien troost het je als ik zeg dat het me spijt dat ik niet meer aandacht aan hem heb besteed, dat ik niet genoeg met hem heb gepraat.'

Plotseling hield Chambers op met klikken met zijn pen. Hij legde de pen neer en ging op de derde stoel zitten die in de 'werkkamer' stond. 'Als jullie klaar zijn met jezelf overal de schuld van te geven,' zei hij, 'wil ik graag meer horen over hoe het is om te kunnen vliegen.' Hij keek Dax doordringend aan en om de een of andere reden moesten ze allemaal lachen.

De regering greep snel in. Er werden dezelfde dag nog voorbereidingen getroffen om de Koms naar huis te sturen en op hoog niveau werden plannen besproken voor een nieuwe plek voor een school.

Ondertussen wandelden Gideon en Dax naar het bos, nadat ze toestemming hadden gekregen van Owen. 'Ze komen heus wel terug,' had Owen tegen de agent gezegd die het pad naar het bos bewaakte.

Het was al laat op de middag. De zon scheen door de bladeren heen en zette alles in een groenig licht. Insecten zoemden en vogels zongen alsof er niets was gebeurd. Zachtjes vertelde Dax Gideon wat hij ook aan Owen had verteld. Dat Gideons mooie, grappige en knuffelige zusje uit Amerika van plan was geweest iedereen te vermoorden. En dat zijn stille, bescheiden, een beetje saaie broer van het eiland Wight zijn leven had gegeven om alle andere Koms te redden.

Gideon knikte toen Dax klaar was met zijn verhaal.

'Het spijt me, Gideon,' zei Dax en hij barstte in tranen uit toen hij de uitdrukking zag op het gezicht van zijn vriend.

'Dat hoeft niet,' zei Gideon. Hij stond op en trok Dax overeind. 'We weten immers nog niet hoe het afloopt.'

Dat weten we inderdaad niet. Er kan van alles gebeuren om het einde te veranderen.

Toen na de dag vol schokkende gebeurtenissen bijvoorbeeld alles was geregeld en er was vastgesteld dat er niets over het voorval naar buiten was gekomen, zetten Owen en het team geheim agenten alle leerlingen op de bus om ze naar huis te sturen.

Niemand protesteerde. De leerlingen hadden niets om in te pakken en mee te nemen. De komende weken zouden de spullen wel aanspoelen op het strand.

Dax en Gideon waren de laatsten die in de tweede bus stapten. Iedere leerling had een brief voor zijn of haar ouders bij zich, en ook een vel papier waarop stond wat ze de komende weken moesten doen terwijl ze wachtten tot er een nieuw schoolgebouw was gevonden. Dax vouwde het papier op en stak het in zijn achterzak. Vervolgens woelde hij Gideons haar door de war en duwde hem neer op een stoel.

'Ga je dat echt doen?' vroeg Gideon. Zijn ogen fonkelden opgewonden en dat was de eerste keer die dag dat dat gebeurde.

Het deed Dax goed om zijn vriend zo te zien. 'Jawel,' antwoordde hij. 'Misschien moet jij nog voor afleiding zorgen, maar ik denk niet dat het nodig is. Ik kom gauw bij je langs. Ik wil zeker weten dat het goed met je gaat.'

Gideon zwaaide met zijn vel papier. 'Maar dan hou je je niet aan deze voorschriften,' zei hij met een grijns.

Dax grijnsde terug en draaide zich vervolgens om.

'Waar ga je naartoe, Dax? De bus vertrekt zo!' zei Owen.

Maar Dax was al uit de bus gesprongen en stond buiten. 'Ik heb iets vergeten,' zei hij.

'Wat dan?' vroeg Owen.

'Door de lucht gaat het sneller.'

Nog voordat Owen iets kon zeggen, veranderde Dax in een valk en vloog omhoog. Terwijl hij steeds hoger ging, en hij zich bewust was van de wind die speelde met zijn grijze, witte en gelige veren, voelde hij zich opgetogen. De lucht was stralend blauw met slechts hier en daar een schapenwolkje en diep beneden zich zag hij de grond. Hij voelde zich vrij.

Hij vloog in een ruime bocht over de uitstekende rotspunt waar eerst Tregarren College had gestaan. Vervolgens vloog hij naar het noordoosten, over het land diep beneden hem, waar de mensen probeerden te raden hoe dit moest aflopen.

Over de auteur

Ali Sparkes is journalist. Ze gebruikt haar zoons om haar boeken voor kinderen mee te bespreken. Dat vindt ze eerlijk, omdat haar zoons haar gebruiken als wandelende voedsel- en drankautomaat.

Eerst werkte Ali als freelance journalist voor een plaatselijke krant. Later ging ze voor de BBC werken, maar dat veilige baantje gaf ze op om te gaan schrijven. Ze is begonnen met grappige columns die werden voorgelezen op de radio.

Als kind was ze dol op verhalen over kinderen die ronddoolden in bossen en daar van alles ontdekten. Dat vindt ze trouwens zelf ook nog steeds heerlijk om te doen.

Ali woont met haar man en twee zoons in Southampton, Engeland.